HEINRICH VON KLEIST

Prinz Friedrich von Homburg

EIN SCHAUSPIEL

MIT EINEM NACHWORT VON
ERNST VON REUSNER

PHILIPP RECLAM JUN. STUTTGART

Die vorliegende Ausgabe folgt dem Text der vierten, revidierten Auflage von 1965 der *Sämtlichen Werke und Briefe*, herausgegeben von Helmut Sembdner. Der Abdruck erfolgt mit freundlicher Genehmigung des Carl Hanser Verlages, München.

Erläuterungen und Dokumente zu Kleists »Prinz Friedrich von Homburg« liegen unter Nr. 8147 [3] in Reclams Universal-Bibliothek vor.

Universal-Bibliothek Nr. 178
Alle Rechte vorbehalten. © für diese Ausgabe 1968 Philipp Reclam jun., Stuttgart. © für den Text 1965 Carl Hanser Verlag, München
Gesamtherstellung: Reclam, Ditzingen. Printed in Germany 1982
ISBN 3-15-000178-1

Gen Himmel schauend greift, im Volksgedränge,
Der Barde fromm in seine Saiten ein.
Jetzt trösten, jetzt verletzen seine Klänge,
Und solcher Antwort kann er sich nicht freun.
Doch eine denkt er in dem Kreis der Menge,
Der die Gefühle seiner Brust sich weihn:
Sie hält den Preis in Händen, der ihm falle,
Und krönt ihn die, so krönen sie ihn alle.

PERSONEN

Friedrich Wilhelm, *Kurfürst von Brandenburg*

Die Kurfürstin

Prinzessin Natalie von Oranien, *seine Nichte, Chef eines Dragonerregiments*

Feldmarschall Dörfling

Prinz Friedrich Arthur von Homburg, *General der Reuterei*

Obrist Kottwitz, *vom Regiment der Prinzessin von Oranien*

Hennings
Graf Truchß } *Obersten der Infanterie*

Graf Hohenzollern, *von der Suite des Kurfürsten*

Rittmeister von der Golz

Graf Georg von Sparren
Stranz
Siegfried von Mörner } *Rittmeister*
Graf Reuß

Ein Wachtmeister

Offiziere, Korporale und Reuter. Hofkavaliere. Hofdamen. Pagen. Heiducken. Bedienten. Volk jeden Alters und Geschlechts.

ERSTER AKT

Szene: Fehrbellin. Ein Garten im altfranzösischen Stil. Im
Hintergrunde ein Schloß, von welchem eine Rampe herab-
führt. – Es ist Nacht.

ERSTER AUFTRITT

*Der Prinz von Homburg sitzt mit bloßem Haupt und offner
Brust, halb wachend halb schlafend, unter einer Eiche und
windet sich einen Kranz. – Der Kurfürst, seine Gemahlin,
Prinzessin Natalie, der Graf von Hohenzollern, Rittmeister
Golz und andere treten heimlich aus dem Schloß, und
schauen, vom Geländer der Rampe, auf ihn nieder. – Pagen
mit Fackeln.*

Der Graf von Hohenzollern.
  Der Prinz von Homburg, unser tapfrer Vetter,
  Der an der Reuter Spitze, seit drei Tagen
  Den flüchtgen Schweden munter nachgesetzt,
  Und sich erst heute wieder atemlos,
  Im Hauptquartier zu Fehrbellin gezeigt:
  Befehl ward ihm von dir, hier länger nicht,
  Als nur drei Füttrungsstunden zu verweilen,
  Und gleich dem Wrangel wiederum entgegen,
  Der sich am Rhyn versucht hat einzuschanzen,
  Bis an die Hackelberge vorzurücken?   10
Der Kurfürst.
  So ists!
Hohenzollern.
      Die Chefs nun sämtlicher Schwadronen,
  Zum Aufbruch aus der Stadt, dem Plan gemäß,
  Glock zehn zu Nacht, gemessen instruiert,
  Wirft er erschöpft, gleich einem Jagdhund lechzend,
  Sich auf das Stroh um für die Schlacht, die uns
  Bevor beim Strahl des Morgens steht, ein wenig
  Die Glieder, die erschöpften, auszuruhn.

9. *Rhyn:* Nebenflüßchen der Havel, an dem Fehrbellin liegt.

Der Kurfürst. So hört ich! – Nun?
Hohenzollern.   Da nun die Stunde schlägt
  Und aufgesessen schon die ganze Reuterei
  Den Acker vor dem Tor zerstampft,   2
  Fehlt – wer? der Prinz von Homburg noch, ihr Führer.
  Mit Fackeln wird und Lichtern und Laternen
  Der Held gesucht – und aufgefunden, wo?
  (Er nimmt einem Pagen die Fackel aus der Hand.)
  Als ein Nachtwandler, schau, auf jener Bank,
  Wohin, im Schlaf, wie du nie glauben wolltest,
  Der Mondschein ihn gelockt, beschäftiget,
  Sich träumend, seiner eignen Nachwelt gleich,
  Den prächtgen Kranz des Ruhmes einzuwinden.
Der Kurfürst.
  Was!
Hohenzollern.
     In der Tat! Schau hier herab: da sitzt er!
  (Er leuchtet von der Rampe auf ihn nieder.)
Der Kurfürst.
  Im Schlaf versenkt? Unmöglich!
Hohenzollern.   Fest im Schlafe!   30
  Ruf ihn bei Namen auf, so fällt er nieder.
              (Pause.)
Die Kurfürstin.
  Der junge Mann ist krank, so wahr ich lebe.
Prinzessin Natalie.
  Er braucht des Arztes –!
Die Kurfürstin.   Man sollt ihm helfen, dünkt mich
  Nicht den Moment verbringen, sein zu spotten!
Hohenzollern *(indem er die Fackel wieder weggibt)*
  Er ist gesund, ihr mitleidsvollen Frauen,
  Bei Gott, ich bins nicht mehr! Der Schwede morgen
  Wenn wir im Feld ihn treffen, wirds empfinden!
  Es ist nichts weiter, glaubt mir auf mein Wort,
  Als eine bloße Unart seines Geistes.
Der Kurfürst.
  Fürwahr! Ein Märchen glaubt ichs! – Folgt mir Freunde,
  Und laßt uns näher ihn einmal betrachten.   4
      (Sie steigen von der Rampe herab.)
Ein Hofkavalier *(zu den Pagen).*
  Zurück! die Fackeln!

Hohenzollern. Laßt sie, laßt sie, Freunde!
Der ganze Flecken könnt in Feuer aufgehn,
Daß sein Gemüt davon nicht mehr empfände,
Als der Demant, den er am Finger trägt.
  (Sie umringen ihn; die Pagen leuchten.)
Der Kurfürst *(über ihn gebeugt).*
Was für ein Laub denn flicht er? – Laub der Weide?
Hohenzollern.
Was! Laub der Weid, o Herr! – Der Lorbeer ists,
Wie ers gesehn hat, an der Helden Bildern,
Die zu Berlin im Rüstsaal aufgehängt.
Der Kurfürst.
– Wo fand er den in meinem märkschen Sand? 50
Hohenzollern. Das mögen die gerechten Götter wissen!
Der Hofkavalier.
Vielleicht im Garten hinten, wo der Gärtner
Mehr noch der fremden Pflanzen auferzieht.
Der Kurfürst.
Seltsam beim Himmel! Doch, was gilts, ich weiß,
Was dieses jungen Toren Brust bewegt?
Hohenzollern.
O – was! Die Schlacht von morgen, mein Gebieter!
Sterngucker sieht er, wett ich, schon im Geist,
Aus Sonnen einen Siegeskranz ihm winden.
  (Der Prinz besieht den Kranz.)
Der Hofkavalier. Jetzt ist er fertig!
Hohenzollern.   Schade, ewig schade,
Daß hier kein Spiegel in der Nähe ist!   60
Er würd ihm eitel, wie ein Mädchen nahn,
Und sich den Kranz bald so, und wieder so,
Wie eine florne Haube aufprobieren.
Der Kurfürst.
Bei Gott! Ich muß doch sehn, wie weit ers treibt!
*(Der Kurfürst nimmt ihm den Kranz aus der Hand; der
Prinz errötet und sieht ihn an. Der Kurfürst schlingt seine
Halskette um den Kranz und gibt ihn der Prinzessin; der
Prinz steht lebhaft auf. Der Kurfürst weicht mit der Prin-
zessin, welche den Kranz erhebt, zurück; der Prinz mit aus-
gestreckten Armen, folgt ihr.)*
Der Prinz von Homburg *(flüsternd).*
Natalie! Mein Mädchen! Meine Braut!

Der Kurfürst.
  Geschwind! Hinweg!
Hohenzollern. Was sagt der Tor?
Der Hofkavalier.   Was sprach er?
        (Sie besteigen sämtlich die Rampe.)
Der Prinz von Homburg.
  Friedrich! Mein Fürst! Mein Vater!
Hohenzollern.   Höll und Teufel!
Der Kurfürst *(rückwärts ausweichend).*
  Öffn' mir die Pforte nur!
Der Prinz von Homburg.
                        O meine Mutter!
Hohenzollern. Der Rasende! Er ist –
Die Kurfürstin.   Wen nennt er so
Der Prinz von Homburg *(nach dem Kranz grei-
  fend).* O! Liebste! Was entweichst du mir? Natalie!   7
        (Er erhascht einen Handschuh von der Prinzessin Hand.
Hohenzollern. Himmel und Erde! Was ergriff er da
Der Hofkavalier.
  Den Kranz?
Natalie. Nein, nein!
Hohenzollern *(öffnet die Tür).*
                        Hier rasch herein, mein Fürst!
  Auf daß das ganze Bild ihm wieder schwinde!
Der Kurfürst.
  Ins Nichts mit dir zurück, Herr Prinz von Homburg,
  Ins Nichts, ins Nichts! In dem Gefild der Schlacht,
  Sehn wir, wenns dir gefällig ist, uns wieder!
  Im Traum erringt man solche Dinge nicht!
        (Alle ab; die Tür fliegt rasselnd vor dem Prinzen zu.)
                (Pause.)

                ZWEITER AUFTRITT

Der Prinz von Homburg *(bleibt einen Augenblick, mit dem Ausdruck der Verwunderung, vor der Tür
  stehen; steigt dann sinnend, die Hand, in welcher er der
  Handschuh hält, vor die Stirn gelegt, von der Rampe
  herab; kehrt sich sobald er unten ist, um, und sieht wieder
  nach der Tür hinauf).*

DRITTER AUFTRITT

Der Graf von Hohenzollern tritt von unten, durch eine Gittertür, auf. Ihm folgt ein Page. – Der Prinz von Homburg.

D e r   P a g e *(leise).*
  Herr Graf, so hört doch! Gnädigster Herr Graf!
H o h e n z o l l e r n *(unwillig).*
  Still! die Zikade! – Nun? Was gibts?
P a g e.   Mich schickt –!
H o h e n z o l l e r n.
  Weck ihn mit deinem Zirpen mir nicht auf!   80
  – Wohlan! Was gibts?
P a g e.   Der Kurfürst schickt mich her!
  Dem Prinzen möchtet Ihr, wenn er erwacht,
  Kein Wort, befiehlt er, von dem Scherz entdecken,
  Den er sich eben jetzt mit ihm erlaubt!
H o h e n z o l l e r n *(leise).*
  Ei, so leg dich im Weizenfeld aufs Ohr,
  Und schlaf dich aus! Das wußt ich schon! Hinweg!
          (Der Page ab.)

VIERTER AUFTRITT

Der Graf von Hohenzollern und der Prinz von Homburg.

H o h e n z o l l e r n *(indem er sich in einiger Entfernung hinter dem Prinzen stellt, der noch immer unverwandt die Rampe hinaufsieht).* Arthur!
          (Der Prinz fällt um.)
  Da liegt er; eine Kugel trifft nicht besser!
  (Er nähert sich ihm.)
  Nun bin ich auf die Fabel nur begierig,
  Die er ersinnen wird, mir zu erklären,   90
  Warum er hier sich schlafen hat gelegt.
  (Er beugt sich über ihn.)
  Arthur! He! Bist des Teufels du? Was machst du?
  Wie kommst du hier zu Nacht auf diesen Platz?
D e r   P r i n z   v o n   H o m b u r g.
  Je, Lieber!
H o h e n z o l l e r n.
         Nun, fürwahr, das muß ich sagen!

Die Reuterei ist die du kommandierst,
Auf eine Stunde schon im Marsch voraus,
Und du, du liegst im Garten hier, und schläfst.

Der Prinz von Homburg.
Welch eine Reuterei?

Hohenzollern. Die Mamelucken! –
So wahr ich Leben atm', er weiß nicht mehr,
Daß er der märkschen Reuter Oberst ist?!   100

Der Prinz von Homburg *(steht auf).*
Rasch! Meinen Helm! Die Rüstung!

Hohenzollern.   Ja wo sind sie?

Der Prinz von Homburg.
Zur Rechten, Heinz, zur Rechten; auf dem Schemel!

Hohenzollern.
Wo? Auf dem Schemel?

Der Prinz von Homburg. Ja, da legt ich, mein ich –!

Hohenzollern *(sieht ihn an).*
So nimm sie wieder vom dem Schemel weg!

Der Prinz von Homburg.
– Was ist dies für ein Handschuh?
(Er betrachtet den Handschuh, den er in der Hand hält.)

Hohenzollern. Ja, was weiß ich? –
(Für sich.) Verwünscht! Den hat er der Prinzessin Nichte,
Dort oben unbemerkt vom Arm gerissen! *(Abbrechend.)*
Nun, rasch! Hinweg! Was säumst du? Fort!

Der Prinz von Homburg *(wirft den Handschuh
wieder weg).*   Gleich, gleich! –
He, Franz, der Schurke der mich wecken sollte!

Hohenzollern *(betrachtet ihn).*
Er ist ganz rasend toll!

Der Prinz von Homburg. Bei meinem Eid!   110
Ich weiß nicht, liebster Heinrich, wo ich bin.

Hohenzollern.
In Fehrbellin, du sinnverwirrter Träumer;
In einem von des Gartens Seitengängen,
Der ausgebreitet hinterm Schlosse liegt!

---

98. *Mamelucken:* orientalische Truppen, durch Napoleons Ägyptenfeldzug bekanntgeworden; zur Zeit der Niederschrift des Dramas ging die Nachricht von der Ermordung der Mameluckenhäupter durch Mehemed Ali (1. März 1811) durch die Zeitungen. Hier natürlich ironisch zur Kennzeichnung von Homburgs Zerstreutheit angeführt.

Der Prinz von Homburg *(für sich).*
  Daß mich die Nacht verschläng! Mir unbewußt
  Im Mondschein bin ich wieder umgewandelt!
  (Er faßt sich.)
  Vergib! Ich weiß nun schon. Es war, du weißt, vor Hitze,
  Im Bette gestern fast nicht auszuhalten.
  Ich schlich erschöpft in diesen Garten mich,
  Und weil die Nacht so lieblich mich umfing,   120
  Mit blondem Haar, von Wohlgeruch ganz triefend
  Ach! wie den Bräutgam eine Perserbraut,
  So legt ich hier in ihren Schoß mich nieder.
  – Was ist die Glocke jetzo?
Hohenzollern.   Halb auf Zwölf.
Der Prinz von Homburg.
  Und die Schwadronen, sagst du, brachen auf?
Hohenzollern.
  Versteht sich, ja! Glock zehn; dem Plan gemäß!
  Das Regiment Prinzessin von Oranien,
  Hat, wie kein Zweifel ist, an ihrer Spitze
  Bereits die Höhn von Hackelwitz erreicht,
  Wo sie des Heeres stillen Aufmarsch morgen,   130
  Dem Wrangel gegenüber decken sollen.
Der Prinz von Homburg.
  Es ist gleichviel! Der alte Kottwitz führt sie,
  Der jede Absicht dieses Marsches kennt.
  Zudem hätt ich zurück ins Hauptquartier
  Um zwei Uhr morgens wieder kehren müssen,
  Weil hier Parole noch soll empfangen werden:
  So blieb ich besser gleich im Ort zurück.
  Komm; laß uns gehn! Der Kurfürst weiß von nichts?
Hohenzollern.
  Ei, was! Der liegt im Bette längst und schläft.
(Sie wollen gehen; der Prinz stutzt, kehrt sich um, und
           nimmt den Handschuh auf.)
Der Prinz von Homburg.
  Welch einen sonderbaren Traum träum ich?! –   140
  Mir war, als ob, von Gold und Silber strahlend
  Ein Königsschloß sich plötzlich öffnete,
  Und hoch von seiner Marmorramp' herab,
  Der ganze Reigen zu mir niederstiege,
  Der Menschen, die mein Busen liebt:

Der Kurfürst und die Fürstin und die – dritte,
– Wie heißt sie schon?
Hohenzollern.   Wer?
Der Prinz von Homburg *(er scheint zu suchen).*
                              Jene – die ich meine!
Ein Stummgeborner würd sie nennen können!
Hohenzollern. Die Platen?
Der Prinz von Homburg.   Nicht doch, Lieber!
Hohenzollern.   Die Ramin?
Der Prinz von Homburg.
Nicht, nicht doch, Freund!
Hohenzollern.   Die Bork? die Winterfeld? 150
Der Prinz von Homburg.
Nicht, nicht; ich bitte dich! Du siehst die Perle
Nicht vor dem Ring, der sie in Fassung hält.
Hohenzollern.
Zum Henker, sprich! Läßt das Gesicht sich raten?
– Welch eine Dame meinst du?
Der Prinz von Homburg.   Gleichviel! Gleichviel!
Der Nam ist mir, seit ich erwacht, entfallen,
Und gilt zu dem Verständnis hier gleichviel.
Hohenzollern. Gut! So sprich weiter!
Der Prinz von Homburg.   Aber stör mich nicht! –
Und er, der Kurfürst, mit der Stirn des Zeus,
Hielt einen Kranz von Lorbeern in der Hand:
Er stellt sich dicht mir vor das Antlitz hin,   160
Und schlägt, mir ganz die Seele zu entzünden,
Den Schmuck darum, der ihm vom Nacken hängt,
Und reicht ihn, auf die Locken mir zu drücken
– O Lieber!
Hohenzollern. Wem?
Der Prinz von Homburg. O Lieber!
Hohenzollern.   Nun, so sprich!
Der Prinz von Homburg.
– Es wird die Platen wohl gewesen sein.
Hohenzollern.
Die Platen? Was! – Die jetzt in Preußen ist?
Der Prinz von Homburg.
Die Platen. Wirklich. Oder die Ramin.
Hohenzollern.
Ach, die Ramin! Was! Die, mit roten Haaren! –

Die Platen, mit den schelmschen Veilchenaugen!
Die, weiß man, die gefällt dir.
Der Prinz von Homburg. Die gefällt mir. – 170
Hohenzollern.
Nun, und die, sagst du, reichte dir den Kranz?
Der Prinz von Homburg.
Hoch auf, gleich einem Genius des Ruhms,
Hebt sie den Kranz, an dem die Kette schwankte,
Als ob sie einen Helden krönen wollte.
Ich streck, in unaussprechlicher Bewegung,
Die Hände streck ich aus, ihn zu ergreifen:
Zu Füßen will ich vor ihr niedersinken.
Doch, wie der Duft, der über Täler schwebt,
Vor eines Windes frischem Hauch zerstiebt,
Weicht mir die Schar, die Ramp' ersteigend, aus.   180
Die Rampe dehnt sich, da ich sie betrete,
Endlos, bis an das Tor des Himmels aus,
Ich greife rechts, ich greife links umher,
Der Teuren einen ängstlich zu erhaschen.
Umsonst! Des Schlosses Tor geht plötzlich auf;
Ein Blitz der aus dem Innern zuckt, verschlingt sie,
Das Tor fügt rasselnd wieder sich zusammen:
Nur einen Handschuh, heftig, im Verfolgen,
Streif ich der süßen Traumgestalt vom Arm:
Und einen Handschuh, ihr allmächtgen Götter,   190
Da ich erwache, halt ich in der Hand!
Hohenzollern.
Bei meinem Eid! – Und nun meinst du, der Handschuh,
Der sei der ihre?
Der Prinz von Homburg.
                    Wessen?
Hohenzollern.   Nun, der Platen!
Der Prinz von Homburg.
Der Platen. Wirklich. Oder der Ramin. –
Hohenzollern *(lacht)*.
Schelm, der du bist, mit deinen Visionen!
Wer weiß von welcher Schäferstunde, traun,
Mit Fleisch und Bein hier wachend zugebracht,
Dir noch der Handschuh in den Händen klebt!
Der Prinz von Homburg.
Was! Mir? Bei meiner Liebe –!

Hohenzollern.   Ei so, zum Henker,
  Was kümmerts mich? Meinthalben seis die Platen,   200
  Seis die Ramin! Am Sonntag geht die Post nach Preußen,
  Da kannst du auf dem kürzsten Weg erfahren,
  Ob deiner Schönen dieser Handschuh fehlt. –
  Fort! Es ist zwölf. Was stehn wir hier und plaudern?
Der Prinz von Homburg *(träumt vor sich nieder).*
  – Da hast du recht. Laß uns zu Bette gehn.
  Doch, was ich sagen wollte, Lieber,
  Ist die Kurfürstin noch und ihre Nichte hier,
  Die liebliche Prinzessin von Oranien,
  Die jüngst in unser Lager eingetroffen?
Hohenzollern.
  Warum? – Ich glaube gar, der Tor –?
Der Prinz von Homburg.   Warum? –   210
  Ich sollte, weißt du, dreißig Reuter stellen,
  Sie wieder von dem Kriegsplatz wegzuschaffen,
  Ramin hab ich deshalb beordern müssen.
Hohenzollern.
  Ei, was! Die sind längst fort! Fort, oder reisen gleich!
  Ramin, zum Aufbruch völlig fertig, stand
  Die ganze Nacht durch mindstens am Portal.
  Doch fort! Zwölf ists; und eh die Schlacht beginnt,
  Wünsch ich mich noch ein wenig auszuruhn.
              (Beide ab.)

Szene: Ebendaselbst. Saal im Schloß. Man hört in der Ferne
                schießen.

FÜNFTER AUFTRITT

*Die Kurfürstin und die Prinzessin Natalie in Reisekleidern,
geführt von einem Hofkavalier, treten auf und lassen sich
zur Seite nieder. Hofdamen. Hierauf der Kurfürst, Feldmarschall Dörfling, der Prinz von Homburg, den Handschuh im Kollett, der Graf von Hohenzollern, Graf Truchß,
Obrist Hennings, Rittmeister von der Golz und mehrere
andere Generale, Obersten und Offiziere.*

  vor 219. *Kollett:* Koller, kurzes Wams; Reitjacke.

Der Kurfürst.
  Was ist dies für ein Schießen? – Ist das Götz?
Feldmarschall Dörfling.
  Das ist der Oberst Götz, mein Fürst und Herr,   220
  Der mit dem Vortrab gestern vorgegangen.
  Er hat schon einen Offizier gesandt,
  Der im voraus darüber dich beruhge.
  Ein schwedscher Posten ist, von tausend Mann,
  Bis auf die Hackelberge vorgerückt;
  Doch haftet Götz für diese Berge dir,
  Und sagt mir an, du möchtest nur verfahren,
  Als hätte sie sein Vortrab schon besetzt.
Der Kurfürst *(zu den Offizieren).*
  Ihr Herrn, der Marschall kennt den Schlachtentwurf;
  Nehmt euren Stift, bitt ich, und schreibt ihn auf.   230
*(Die Offiziere versammeln sich auf der andern Seite um den
  Feldmarschall und nehmen ihre Schreibtafeln heraus.)*
Der Kurfürst *(wendet sich zu dem Hofkavalier).*
  Ramin ist mit dem Wagen vorgefahren?
Der Hofkavalier.
  Im Augenblick, mein Fürst. – Man spannt schon an.
Der Kurfürst *(läßt sich auf einen Stuhl hinter der
  Kurfürstin und Prinzessin nieder).*
  Ramin wird meine teur' Elisa führen,
  Und dreißig rüstge Reuter folgen ihm.
  Ihr geht auf Kalkhuhns, meines Kanzlers, Schloß
  Bei Havelberg, jenseits des Havelstroms,
  Wo sich kein Schwede mehr erblicken läßt. –
Die Kurfürstin.
  Hat man die Fähre wieder hergestellt?
Der Kurfürst.
  Bei Havelberg? – Die Anstalt ist getroffen.
  Zudem ists Tag, bevor ihr sie erreicht.   240
                (Pause.)
  Natalie ist so still, mein süßes Mädchen?
  – Was fehlt dem Kind?
Prinzessin Natalie. . Mich schauert, lieber Onkel.
Der Kurfürst.
  Und gleichwohl ist mein Töchterchen so sicher,
  In ihrer Mutter Schoß war sies nicht mehr.
                (Pause.)

Die Kurfürstin.
  Wann, denkst du, werden wir uns wiedersehen?
Der Kurfürst.
  Wenn Gott den Sieg mir schenkt, wie ich nicht zweifle,
  Vielleicht im Laufe dieser Tage schon.
(Pagen kommen und servieren den Damen ein Frühstück. –
Feldmarschall Dörfling diktiert. – Der Prinz von Homburg,
    Stift und Tafel in der Hand, fixiert die Damen.)
Feldmarschall.
  Der Plan der Schlacht, ihr Herren Obersten,
  Den die Durchlaucht des Herrn ersann, bezweckt,
  Der Schweden flüchtges Heer, zu gänzlicher   250
  Zersplittrung, von dem Brückenkopf zu trennen,
  Der an dem Rhynfluß ihren Rücken deckt.
  Der Oberst Hennings –!
Oberst Hennings. Hier! *(Er schreibt.)*
Feldmarschall.   Der nach des Herren Willen heut
  Des Heeres rechten Flügel kommandiert,
  Soll, durch den Grund der Hackelbüsche, still
  Des Feindes linken zu umgehen suchen,
  Sich mutig zwischen ihn und die drei Brücken werfen,
  Und mit dem Grafen Truchß vereint –
  Graf Truchß!
Graf Truchß. Hier! *(Er schreibt.)*
Feldmarschall. Und mit dem Grafen Truchß vereint –
  (Er hält inne.)
  Der auf den Höhn indes, dem Wrangel gegenüber,   261
  Mit den Kanonen Posten hat gefaßt –
Graf Truchß *(schreibt).*
  Kanonen Posten hat gefaßt –
Feldmarschall.   Habt Ihr?
  (Er fährt fort.)
  Die Schweden in den Sumpf zu jagen suchen,
  Der hinter ihrem rechten Flügel liegt.
Ein Heiduck *(tritt auf).*
  Der Wagen, gnädge Frau, ist vorgefahren.

---

  vor 266. *Heiduck:* Haiducken, urspr. ungar. Söldnertruppen, die 1605
im Haiducken-Komitat angesiedelt wurden. Später ging der Name auf
die ungar. Gerichtsdiener und die Bediensteten der ungar. Großen über
und wurde schließlich eine allgemeine Bezeichnung für die Lakaien auch
an deutschen Höfen.

(Die Damen stehen auf.)

Feldmarschall. Der Prinz von Homburg –
Der Kurfürst *(erhebt sich gleichfalls).*

– Ist Ramin bereit?

Der Heiduck.
Er harrt zu Pferd schon unten am Portal.
(Die Herrschaften nehmen Abschied von einander.)

Graf Truchß *(schreibt).*
Der hinter ihrem rechten Flügel liegt.

Feldmarschall. Der Prinz von Homburg –⁣⁣⁣ 270
Wo ist der Prinz von Homburg?

Graf von Hohenzollern *(heimlich).*

Arthur!

Der Prinz von Homburg *(fährt zusammen).*

Hier!

Hohenzollern. Bist du bei Sinnen?
Der Prinz von Homburg.

Was befiehlt mein Marschall?
(Er errötet, stellt sich mit Stift und Pergament und schreibt.)

Feldmarschall.
Dem die Durchlaucht des Fürsten wiederum
Die Führung ruhmvoll, wie bei Rathenow,
Der ganzen märkschen Reuterei vertraut – *(Er hält inne.)*
Dem Obrist Kottwitz gleichwohl unbeschadet,
Der ihm mit seinem Rat zur Hand wird gehn –
(Halblaut zum Rittmeister Golz.)
Ist Kottwitz hier?

Rittmeister von der Golz.

Nein, mein General, du siehst,
Mich hat er abgeschickt, an seiner Statt,
Aus deinem Mund den Kriegsbefehl zu hören.⁣⁣⁣ 280
(Der Prinz sieht wieder nach den Damen herüber.)

Feldmarschall *(fährt fort).*
Stellt, auf der Ebne sich, beim Dorfe Hackelwitz,
Des Feindes rechtem Flügel gegenüber,
Fern außer dem Kanonenschusse auf.

Rittmeister von der Golz *(schreibt).*
Fern außer dem Kanonenschusse auf.

*(Die Kurfürstin bindet der Prinzessin ein Tuch um den Hals.
Die Prinzessin, indem sie sich die Handschuh anziehen will,
sieht sich um, als ob sie etwas suchte.)*

Der Kurfürst *(tritt zu ihr).*
Mein Töchterchen, was fehlt dir –?
Die Kurfürstin.   Suchst du etwas?
Prinzessin Natalie.
Ich weiß nicht, liebe Tante, meinen Handschuh –
(Sie sehen sich alle um.)
Der Kurfürst *(zu den Hofdamen).*
Ihr Schönen! Wollt ihr gütig euch bemühn?
Die Kurfürstin *(zur Prinzessin).*
Du hältst ihn, Kind.
Natalie.   Den rechten; doch den linken?
Der Kurfürst.
Vielleicht daß er im Schlafgemach geblieben?
Natalie. O liebe Bork!
Der Kurfürst *(zu diesem Fräulein).*
Rasch, rasch!
Natalie.   Auf dem Kamin! 290
(Die Hofdame ab.)
Der Prinz von Homburg *(für sich).*
Herr meines Lebens! hab ich recht gehört?
(Er nimmt den Handschuh aus dem Kollett.)
Feldmarschall *(sieht in ein Papier, das er in der Hand
hält).* Fern außer dem Kanonenschusse auf. –
(Er fährt fort.)
Des Prinzen Durchlaucht wird –
Der Prinz von Homburg.
Den Handschuh sucht sie –
(Er sieht bald den Handschuh, bald die Prinzessin an.)
Feldmarschall.
Nach unsers Herrn ausdrücklichem Befehl –
Rittmeister von der Golz *(schreibt).*
Nach unsers Herrn ausdrücklichem Befehl –
Feldmarschall.
Wie immer auch die Schlacht sich wenden mag,
Vom Platz nicht, der ihm angewiesen, weichen –
Der Prinz von Homburg.
– Rasch, daß ich jetzt erprüfe, ob ers ist!
*(Er läßt, zugleich mit seinem Schnupftuch, den Hand-
schuh fallen; das Schnupftuch hebt er wieder auf, den
Handschuh läßt er so, daß ihn jedermann sehen kann,
liegen.)*

Feldmarschall *(befremdet)*.
  Was macht des Prinzen Durchlaucht?
Graf von Hohenzollern *(heimlich)*.
                                        Arthur!
Der Prinz von Homburg.   Hier!
Hohenzollern.   Ich glaub,
  Du bist des Teufels?!
Der Prinz von Homburg.
                    Was befiehlt mein Marschall?   300
(Er nimmt wieder Stift und Tafel zur Hand. Der Feldmar-
  schall sieht ihn einen Augenblick fragend an. – Pause.)
Rittmeister von der Golz *(nachdem er geschrie-*
  ben). Vom Platz nicht, der ihm angewiesen, weichen –
Feldmarschall *(fährt fort)*.
  Als bis, gedrängt von Hennings und von Truchß –
Der Prinz von Homburg *(zum Rittmeister Golz,*
  heimlich, indem er in seine Schreibtafel sieht).
  Wer? lieber Golz! Was? Ich?
Rittmeister von der Golz.   Ihr, ja! Wer sonst?
Der Prinz von Homburg.
  Vom Platz nicht soll ich –?
Rittmeister von der Golz.   Freilich!
Feldmarschall.   Nun? habt Ihr?
Der Prinz von Homburg *(laut)*.
  Vom Platz nicht, der mir angewiesen, weichen –
  (Er schreibt.)
Feldmarschall.
  Als bis, gedrängt von Hennings und von Truchß –
  (Er hält inne.)
  Des Feindes linker Flügel, aufgelöst,
  Auf seinen rechten stürzt, und alle seine
  Schlachthaufen wankend nach der Trift sich drängen,
  In deren Sümpfen, oft durchkreuzt von Gräben,   310
  Der Kriegsplan eben ist, ihn aufzureiben.
Der Kurfürst.
  Ihr Pagen, leuchtet! – Euren Arm, ihr Lieben!
  (Er bricht mit der Kurfürstin und der Prinzessin auf.)
Feldmarschall.
  Dann wird er die Fanfare blasen lassen.
Die Kurfürstin *(da einige Offiziere sie komplimen-*
  tieren). Auf Wiedersehn, ihr Herrn! Laßt uns nicht stören.

(Der Feldmarschall komplimentiert sie auch.)

D e r   K u r f ü r s t *(steht plötzlich still).*
  Sieh da! Des Fräuleins Handschuh! Rasch! Dort liegt er!
E i n   H o f k a v a l i e r.
  Wo?
D e r   K u r f ü r s t.
    Zu des Prinzen, unsers Vetters, Füßen!
D e r   P r i n z   v o n   H o m b u r g *(ritterlich).*
  Zu meinen –? Was! Ist das der Eurige?
  (Er hebt ihn auf und bringt ihn der Prinzessin.)
N a t a l i e. Ich dank Euch, edler Prinz.
D e r   P r i n z   v o n   H o m b u r g *(verwirrt).*
                                Ist das der Eure?
N a t a l i e. Der meinige; der, welchen ich vermißt.
  (Sie empfängt ihn und zieht ihn an.)
D i e   K u r f ü r s t i n *(zu dem Prinzen im Abgehen).*
  Lebt wohl! Lebt wohl! Viel Glück und Heil und Segen!
  Macht, daß wir bald und froh uns wieder sehn!   321
*(Der Kurfürst mit den Frauen ab. Hofdamen, Kavaliere und
                    Pagen folgen.)*
D e r   P r i n z   v o n   H o m b u r g *(steht einen Augenblick,
  wie vom Blitz getroffen da; dann wendet er sich mit
  triumphierenden Schritten wieder in den Kreis der Offi-
  ziere zurück.)*
  Dann wird er die Fanfare blasen lassen!
  (Er tut, als ob er schriebe.)
F e l d m a r s c h a l l *(sieht in sein Papier).*
  Dann wird er die Fanfare blasen lassen. –
  Doch wird des Fürsten Durchlaucht ihm, damit,
  Durch Mißverstand, der Schlag zu früh nicht falle –
  (Er hält inne.)
R i t t m e i s t e r   v o n   d e r   G o l z *(schreibt).*
  Durch Mißverstand, der Schlag zu früh nicht falle –
D e r   P r i n z   v o n   H o m b u r g *(zum Graf Hohenzol-
  lern, heimlich, in großer Bewegung).*
  O Heinrich!
H o h e n z o l l e r n *(unwillig).*
          Nun! Was gibts? Was hast du vor?
D e r   P r i n z   v o n   H o m b u r g.
  Was! Sahst du nichts?
H o h e n z o l l e r n.   Nein, nichts! Sei still, zum Henker!

Feldmarschall *(fährt fort).*
  Ihm einen Offizier, aus seiner Suite, senden,
  Der den Befehl, das merkt, ausdrücklich noch   330
  Zum Angriff auf den Feind ihm überbringe.
  Eh wird er nicht Fanfare blasen lassen.
      (Der Prinz steht und träumt vor sich nieder.)
  – Habt Ihr?
Rittmeister von der Golz *(schreibt).*
  Eh wird er nicht Fanfare blasen lassen.
Feldmarschall *(mit erhöhter Stimme).*
  Des Prinzen Durchlaucht, habt Ihr?
Der Prinz von Homburg.   Mein Feldmarschall?
Feldmarschall. Ob Ihr geschrieben habt?
Der Prinz von Homburg.   – Von der Fanfare?
Hohenzollern *(heimlich, unwillig, nachdrücklich).*
  Fanfare! Sei verwünscht! Nicht eh, als bis der –
Rittmeister von der Golz *(ebenso).*
  Als bis er selbst –
Der Prinz von Homburg *(unterbricht sie).*
            Ja, allerdings! Eh nicht –
  Doch dann wird er Fanfare blasen lassen.
      (Er schreibt. – Pause.)
Feldmarschall.
  Den Obrist Kottwitz, merkt das, Baron Golz,   340
  Wünsch ich, wenn er es möglich machen kann,
  Noch vor Beginn des Treffens selbst zu sprechen.
Rittmeister von der Golz *(mit Bedeutung).*
  Bestellen werd ich es. Verlaß dich drauf.
      (Pause.)
Der Kurfürst *(kommt zurück).*
  Nun, meine General' und Obersten,
  Der Morgenstrahl ergraut! – Habt ihr geschrieben?
Feldmarschall.
  Es ist vollbracht, mein Fürst; dein Kriegsplan ist
  An deine Feldherrn pünktlich ausgeteilt!
Der Kurfürst *(indem er Hut und Handschuh nimmt).*
  Herr Prinz von Homburg, dir empfehl ich Ruhe!
  Du hast am Ufer, weißt du, mir des Rheins
  Zwei Siege jüngst verscherzt; regier dich wohl,   350
  Und laß mich heut den dritten nicht entbehren,
  Der mindres nicht, als Thron und Reich, mir gilt!

(Zu den Offizieren.)
Folgt mir! – He, Franz!
Ein Reitknecht *(tritt auf).*
Hier!
Der Kurfürst.   Rasch! Den Schimmel vor!
– Noch vor der Sonn im Schlachtfeld will ich sein!
(Ab; die Generale, Obersten und Offiziere folgen ihm.)

SECHSTER AUFTRITT

Der Prinz von Homburg *(in den Vordergrund
tretend).* Nun denn, auf deiner Kugel, Ungeheures,
Du, der der Windeshauch den Schleier heut,
Gleich einem Segel lüftet, roll heran!
Du hast mir, Glück, die Locken schon gestreift:
Ein Pfand schon warfst du, im Vorüberschweben,
Aus deinem Füllhorn lächelnd mir herab: 360
Heut, Kind der Götter, such ich, flüchtiges,
Ich hasche dich im Feld der Schlacht und stürze
Ganz deinen Segen mir zu Füßen um:
Wärst du auch siebenfach, mit Eisenketten,
Am schwedschen Siegeswagen festgebunden! *(Ab.)*

ZWEITER AKT

Szene: Schlachtfeld bei Fehrbellin.

ERSTER AUFTRITT

*Obrist Kottwitz, Graf Hohenzollern, Rittmeister von der
Golz, und andere Offiziere, an der Spitze der Reuterei,
treten auf.*

Obrist Kottwitz *(außerhalb der Szene).*
Halt hier die Reuterei, und abgesessen!
Hohenzollern und Golz *(treten auf).*
Halt! – Halt!

Obrist Kottwitz.
    Wer hilft vom Pferde mir, ihr Freunde?
Hohenzollern und Golz.
 Hier, Alter, hier! *(Sie treten wieder zurück.)*
Obrist Kottwitz *(außerhalb).*
     Habt Dank! – Ouf! Daß die Pest mich!
 – Ein edler Sohn, für euren Dienst, jedwedem,
 Der euch, wenn ihr zerfallt, ein Gleiches tut!   370
(Er tritt auf; Hohenzollern, Golz und andere, hinter ihm.)
 Ja, auf dem Roß fühl ich voll Jugend mich;
 Doch sitz ich ab, da hebt ein Strauß sich an,
 Als ob sich Leib und Seele kämpfend trennten!
 (Er sieht sich um.)
 Wo ist des Prinzen, unsers Führers, Durchlaucht?
Hohenzollern.
 Der Prinz kehrt gleich zu dir zurück!
Obrist Kottwitz.   Wo ist er?
Hohenzollern.
 Er ritt ins Dorf, das dir, versteckt in Büschen,
 Zur Seite blieb. Er wird gleich wiederkommen.
Ein Offizier.
 Zur Nachtzeit, hör ich, fiel er mit dem Pferd?
Hohenzollern.
 Ich glaube, ja.
Obrist Kottwitz. Er fiel?
Hohenzollern *(wendet sich).* Nichts von Bedeutung!
 Sein Rappe scheute an der Mühle sich,   380
 Jedoch, leichthin zur Seite niedergleitend,
 Tat er auch nicht den mindsten Schaden sich.
 Es ist den Odem keiner Sorge wert.
Obrist Kottwitz *(auf einen Hügel tretend).*
 Ein schöner Tag, so wahr ich Leben atme!
 Ein Tag von Gott, dem hohen Herrn der Welt,
 Gemacht zu süßerm Ding als sich zu schlagen!
 Die Sonne schimmert rötlich durch die Wolken,
 Und die Gefühle flattern, mit der Lerche,
 Zum heitern Duft des Himmels jubelnd auf! –
Golz. Hast du den Marschall Dörfling aufgefunden? 390
Obrist Kottwitz *(kommt vorwärts).*
 Zum Henker, nein! Was denkt die Exzellenz?
 Bin ich ein Pfeil, ein Vogel, ein Gedanke,

Daß er mich durch das ganze Schlachtfeld sprengt?
Ich war beim Vortrab, auf den Hackelhöhn,
Und in dem Hackelgrund, beim Hintertrab:
Doch wen ich nicht gefunden, war der Marschall!
Drauf meine Reuter sucht ich wieder auf.
G o l z. Das wird sehr leid ihm tun. Es schien, er hatte
Dir von Belang noch etwas zu vertraun.
D e r O f f i z i e r.
Da kommt des Prinzen, unsers Führers, Durchlaucht!   400

ZWEITER AUFTRITT

*Der Prinz von Homburg, mit einem schwarzen Band um die
linke Hand. Die Vorigen.*

O b r i s t K o t t w i t z.
Sei mir gegrüßt, mein junger edler Prinz!
Schau her, wie, während du im Dörfchen warst,
Die Reuter ich im Talweg aufgestellt:
Ich denk du wirst mit mir zufrieden sein!
D e r P r i n z v o n H o m b u r g.
Guten Morgen, Kottwitz! – Guten Morgen, Freunde!
– Du weißt, ich lobe alles, was du tust.
H o h e n z o l l e r n.
Was machtest, Arthur, in dem Dörfchen du?
– Du scheinst so ernst!
D e r P r i n z v o n H o m b u r g.
                        Ich – war in der Kapelle,
Die aus des Dörfchens stillen Büschen blinkte.
Man läutete, da wir vorüberzogen,   410
Zur Andacht eben ein, da trieb michs an,
Am Altar auch mich betend hinzuwerfen.
O b r i s t K o t t w i t z.
Ein frommer junger Herr, das muß ich sagen!
Das Werk, glaubt mir, das mit Gebet beginnt,
Das wird mit Heil und Ruhm und Sieg sich krönen!
D e r P r i n z v o n H o m b u r g.
Was ich dir sagen wollte, Heinrich –
(Er führt den Grafen ein wenig vor.)
Was wars schon, was der Dörfling, mich betreffend,
Bei der Parol' hat gestern vorgebracht?

Hohenzollern.
  – Du warst zerstreut. Ich hab es wohl gesehn.
Der Prinz von Homburg.
  Zerstreut – geteilt; ich weiß nicht, was mir fehlte,   420
  Diktieren in die Feder macht mich irr. –
Hohenzollern.
  – Zum Glück nicht diesmal eben viel für dich.
  Der Truchß und Hennings, die das Fußvolk führen,
  Die sind zum Angriff auf den Feind bestimmt,
  Und dir ist aufgegeben, hier zu halten
  Im Tal, schlagfertig mit der Reuterei,
  Bis man zum Angriff den Befehl dir schickt.
Der Prinz von Homburg *(nach einer Pause, in der
  er vor sich niedergeträumt).*
  – Ein wunderlicher Vorfall!
Hohenzollern.   Welcher, Lieber?
        (Er sieht ihn an. – Ein Kanonenschuß fällt.)
Obrist Kottwitz.
  Holla, ihr Herrn, holla! Sitzt auf, sitzt auf!
  Das ist der Hennings und die Schlacht beginnt!   430
        (Sie besteigen sämtlich einen Hügel.)
Der Prinz von Homburg.
  Wer ist es? Was?
Hohenzollern.   Der Obrist Hennings, Arthur,
  Der sich in Wrangels Rücken hat geschlichen!
  Komm nur, dort kannst du alles überschaun.
Golz *(auf dem Hügel).*
  Seht, wie er furchtbar sich am Rhyn entfaltet!
Der Prinz von Homburg *(hält sich die Hand vors
  Auge).* – Der Hennings dort auf unserm rechten Flügel?
Erster Offizier.
  Ja, mein erlauchter Prinz.
Der Prinz von Homburg.
                           Was auch, zum Henker!
  Der stand ja gestern auf des Heeres Linken.
        (Kanonenschüsse in der Ferne.)
Obrist Kottwitz.
  Blitzelement! Seht, aus zwölf Feuerschlünden
  Wirkt jetzt der Wrangel auf den Hennings los!
Erster Offizier.
  Das nenn ich Schanzen das, die schwedischen!   440

Zweiter Offizier.
  Bei Gott, getürmt bis an die Kirchsturmspitze,
  Des Dorfs, das hinter ihrem Rücken liegt!
          (Schüsse in der Nähe.)
Golz. Das ist der Truchß!
Der Prinz von Homburg.
                    Der Truchß?
Obrist Kottwitz.   Der Truchß, er, ja;
  Der Hennings jetzt von vorn zu Hülfe kommt.
Der Prinz von Homburg.
  Wie kommt der Truchß heut in die Mitte?
          (Heftige Kanonade.)
Golz.
  O Himmel, schaut, mich dünkt das Dorf fing Feuer!
Dritter Offizier.
  Es brennt, so wahr ich leb!
Erster Offizier.   Es brennt! Es brennt!
  Die Flamme zuckt schon an dem Turm empor!
Golz.
  Hui! Wie die Schwedenboten fliegen rechts und links!
Zweiter Offizier.
  Sie brechen auf!
Obrist Kottwitz.   Wo?
Erster Offizier.   Auf dem rechten Flügel! – 450
Dritter Offizier.
  Freilich! In Zügen! Mit drei Regimentern!
  Es scheint, den linken wollen sie verstärken.
Zweiter Offizier.
  Bei meiner Treu! Und Reuterei rückt vor,
  Den Marsch des rechten Flügels zu bedecken!
Hohenzollern *(lacht).*
  Ha! Wie das Feld die wieder räumen wird,
  Wenn sie versteckt uns hier im Tal erblickt!
          (Musketenfeuer.)
Kottwitz. Schaut! Brüder, schaut!
Zweiter Offizier.   Horcht!
Erster Offizier.   Feuer der Musketen!
Dritter Offizier.
  Jetzt sind sie bei den Schanzen aneinander! –
Golz. Bei Gott! Solch einen Donner des Geschützes
  Hab ich zeit meines Lebens nicht gehört!   460

Hohenzollern.
Schießt! Schießt! Und macht den Schoß der Erde bersten!
Der Riß soll eurer Leichen Grabmal sein.
(Pause. – Ein Siegsgeschrei in der Ferne.)
Erster Offizier.
Herr, du, dort oben, der den Sieg verleiht:
Der Wrangel kehrt den Rücken schon!
Hohenzollern. Nein, sprich!
Golz. Beim Himmel, Freunde! Auf dem linken Flügel!
Er räumt mit seinem Feldgeschütz die Schanzen.
Alle. Triumph! Triumph! Triumph! Der Sieg ist unser!
Der Prinz von Homburg *(steigt vom Hügel herab).*
Auf, Kottwitz, folg mir!
Obrist Kottwitz. Ruhig, ruhig, Kinder!
Der Prinz von Homburg.
Auf! Laß Fanfare blasen! Folge mir!
Obrist Kottwitz. Ich sage, ruhig.
Der Prinz von Homburg *(wild).*
Himmel, Erd und Hölle! 470
Obrist Kottwitz.
Des Herrn Durchlaucht, bei der Parole gestern,
Befahl, daß wir auf Order warten sollen.
Golz, lies dem Herren die Parole vor.
Der Prinz von Homburg.
Auf Ord'r! Ei, Kottwitz! Reitest du so langsam?
Hast du sie noch vom Herzen nicht empfangen?
Obrist Kottwitz. Order?
Hohenzollern. Ich bitte dich!
Obrist Kottwitz. Von meinem Herzen?
Hohenzollern. Laß dir bedeuten, Arthur!
Golz. Hör mein Obrist!
Obrist Kottwitz *(beleidigt).*
Oho! Kömmst du mir so, mein junger Herr? –
Den Gaul, den du dahersprengst, schlepp ich noch
Im Notfall an dem Schwanz des meinen fort! 480
Marsch, marsch, ihr Herrn! Trompeter, die Fanfare!
Zum Kampf! Zum Kampf! Der Kottwitz ist dabei!
Golz *(zu Kottwitz).*
Nein nimmermehr, mein Obrist! Nimmermehr!
Zweiter Offizier.
Der Hennings hat den Rhyn noch nicht erreicht!

Erster Offizier. Nimm ihm den Degen ab!
Der Prinz von Homburg.   Den Degen mir?
  (Er stößt ihn zurück.)
  Ei, du vorwitzger Knabe, der du noch
  Nicht die Zehn märkischen Gebote kennst!
  Hier ist der deinige, zusamt der Scheide!
  (Er reißt ihm das Schwert samt dem Gürtel ab.)
Erster Offizier *(taumelnd).*
  Mein Prinz, die Tat, bei Gott –!
Der Prinz von Homburg *(auf ihn einschreitend).*
                    Den Mund noch öffnest –?
Hohenzollern *(zu dem Offizier).*
  Schweig! Bist du rasend?
Der Prinz von Homburg *(indem er den Degen*
  abgibt).   Ordonnanzen! –   490
  Führt ihn gefangen ab, ins Hauptquartier.
  (Zu Kottwitz und den übrigen Offizieren.)
  Und jetzt ist die Parol', ihr Herrn: ein Schurke,
  Wer seinem General zur Schlacht nicht folgt!
  – Wer von euch bleibt?
Obrist Kottwitz. Du hörst. Was eiferst du?
Hohenzollern *(beilegend).*
  Es war ein Rat nur, den man dir erteilt.
Obrist Kottwitz.
  Auf deine Kappe nimms. Ich folge dir.
Der Prinz von Homburg *(beruhigt).*
  Ich nehms auf meine Kappe. Folgt mir, Brüder!
                    (Alle ab.)

Szene: Zimmer in einem Dorf.

DRITTER AUFTRITT

*Ein Hofkavalier, in Stiefeln und Sporen, tritt auf. – Ein
Bauer und seine Frau sitzen an einem Tisch und arbeiten.*

Hofkavalier.
  Glück auf, ihr wackern Leute! Habt ihr Platz,
  In eurem Hause Gäste aufzunehmen?

487. *Zehn märkischen Gebote:* Gemeint ist – in Analogie zu den zehn
biblischen Geboten – das brandenburgische Kriegsreglement.

Der Bauer. O ja! Von Herzen.
Die Frau. Darf man wissen, wen? 500
Hofkavalier.
  Die hohe Landesmutter! Keinen Schlechtern!
  Am Dorftor brach die Achse ihres Wagens,
  Und weil wir hören, daß der Sieg erfochten,
  So braucht es weiter diese Reise nicht.
Beide *(stehen auf)*.
  Der Sieg erfochten? – Himmel!
Hofkavalier. Das wißt ihr nicht?
  Das Heer der Schweden ist aufs Haupt geschlagen,
  Wenn nicht für immer, doch auf Jahresfrist,
  Die Mark vor ihrem Schwert und Feuer sicher!
  – Doch seht! da kömmt die Landesfürstin schon.

VIERTER AUFTRITT

Die Kurfürstin, bleich und verstört. Prinzessin Natalie und
mehrere Hofdamen folgen. – Die Vorigen.

Kurfürstin *(unter der Tür)*.
  Bork! Winterfeld! Kommt: gebt mir euren Arm! 510
Natalie *(zu ihr eilend)*.
  O meine Mutter!
Die Hofdamen. Gott! Sie bleicht! Sie fällt!
  (Sie unterstützen sie.)
Kurfürstin.
  Führt mich auf einen Stuhl, ich will mich setzen.
  – Tot, sagt er; tot?
Natalie. O meine teure Mutter!
Kurfürstin. Ich will den Unglücksboten selber sprechen.

FÜNFTER AUFTRITT

Rittmeister von Mörner tritt verwundet auf, von zwei Reu-
tern geführt. – Die Vorigen.

Kurfürstin.
  Was bringst du, Herold des Entsetzens, mir?
Mörner. Was diese Augen, leider, teure Frau,
  Zu meinem ewgen Jammer, selbst gesehn.

Kurfürstin.
  Wohlan! Erzähl!
Mörner.   Der Kurfürst ist nicht mehr!
Natalie.   O Himmel!
  Soll ein so ungeheurer Schlag uns treffen?
  (Sie bedeckt sich das Gesicht.)
Kurfürstin. Erstatte mir Bericht, wie er gesunken!   520
  – Und wie der Blitzstrahl, der den Wandrer trifft,
  Die Welt noch einmal purpurn ihm erleuchtet,
  So laß dein Wort sein; Nacht, wenn du gesprochen,
  Mög über meinem Haupt zusammenschlagen.
Mörner *(tritt, geführt von den beiden Reutern, vor ihr)*
  Der Prinz von Homburg war, sobald der Feind,
  ¯Gedrängt von Truchß, in seiner Stellung wankte,
  Auf Wrangel in die Ebne vorgerückt;
  Zwei Linien hatt er, mit der Reuterei,
  Durchbrochen schon, und auf der Flucht vernichtet,
  Als er auf eine Feldredoute stieß.   530
  Hier schlug so mörderischer Eisenregen
  Entgegen ihm, daß seine Reuterschar,
  Wie eine Saat, sich knickend niederlegte:
  Halt mußt er machen zwischen Busch und Hügeln,
  Um sein zerstreutes Reuterkorps zu sammeln.
Natalie *(zur Kurfürstin).*
  Geliebte! Fasse dich!
Kurfürstin.   Laß, laß mich, Liebe!
Mörner. In diesem Augenblick, dem Staub entrückt,
  Bemerken wir den Herrn, der, bei den Fahnen
  Des Truchßschen Korps, dem Feind entgegenreitet;
  Auf einem Schimmel herrlich saß er da,   540
  Im Sonnenstrahl, die Bahn des Siegs erleuchtend.
  Wir alle sammeln uns, bei diesem Anblick,
  Auf eines Hügels Abhang, schwer besorgt,
  Inmitten ihn des Feuers zu erblicken:
  Als plötzlich jetzt der Kurfürst, Roß und Reuter,
  In Staub vor unsern Augen niedersinkt;
  Zwei Fahnenträger fielen über ihn,
  Und deckten ihn mit ihren Fahnen zu.
Natalie. O meine Mutter!
Erste Hofdame.   Himmel!
Kurfürstin.   Weiter! Weiter!

M ö r n e r.

 Drauf faßt, bei diesem schreckenvollen Anblick,   550
 Schmerz, unermeßlicher, des Prinzen Herz;
 Dem Bären gleich, von Wut gespornt und Rache,
 Bricht er mit uns auf die Verschanzung los:
 Der Graben wird, der Erdwall, der sie deckt,
 Im Anlauf überflogen, die Besatzung
 Geworfen, auf das Feld zerstreut, vernichtet,
 Kanonen, Fahnen, Pauken und Standarten,
 Der Schweden ganzes Kriegsgepäck, erbeutet:
 Und hätte nicht der Brückenkopf am Rhyn
 Im Würgen uns gehemmt, so wäre keiner,   560
 Der an dem Herd der Väter, sagen könnte:
 Bei Fehrbellin sah ich den Helden fallen!

K u r f ü r s t i n.

 Ein Sieg, zu teu'r erkauft! Ich mag ihn nicht.
 Gebt mir den Preis, den er gekostet, wieder.
 (Sie sinkt in Ohnmacht.)

E r s t e H o f d a m e.

 Hilf, Gott im Himmel! Ihre Sinne schwinden.
    (Natalie weint.)

SECHSTER AUFTRITT

Der Prinz von Homburg tritt auf. – Die Vorigen.

D e r P r i n z v o n H o m b u r g.

 O meine teuerste Natalie!
 (Er legt ihre Hand gerührt an sein Herz.)

N a t a l i e. So ist es wahr?

D e r P r i n z v o n H o m b u r g.

      O! könnt ich sagen: nein!
 Könnt ich mit Blut, aus diesem treuen Herzen,
 Das seinige zurück ins Dasein rufen! –

N a t a l i e *(trocknet sich die Tränen).*

 Hat man denn schon die Leiche aufgefunden?   570

D e r P r i n z v o n H o m b u r g.

 Ach, mein Geschäft, bis diesen Augenblick,
 War Rache nur an Wrangel; wie vermocht ich,
 Solch einer Sorge mich bis jetzt zu weihn?
 Doch eine Schar von Männern sandt ich aus,

Ihn, im Gefild des Todes, aufzusuchen:
Vor Nacht noch zweifelsohne trifft er ein.
N a t a l i e. Wer wird, in diesem schauderhaften Kampf,
Jetzt diese Schweden niederhalten? Wer
Vor dieser Welt von Feinden uns beschirmen,
Die uns sein Glück, die uns sein Ruhm erworben?   580
D e r P r i n z v o n H o m b u r g *(nimmt ihre Hand).*
Ich, Fräulein, übernehme eure Sache!
Ein Engel will ich, mit dem Flammenschwert,
An eures Throns verwaiste Stufen stehn!
Der Kurfürst wollte, eh das Jahr noch wechselt,
Befreit die Marken sehn; wohlan! ich will der
Vollstrecker solchen letzten Willens sein!
N a t a l i e. Mein lieber, teurer Vetter!
(Sie zieht ihre Hand zurück.)
D e r P r i n z v o n H o m b u r g.   O Natalie!
(Er hält einen Augenblick inne.)
Wie denkt Ihr über Eure Zukunft jetzt?
N a t a l i e. Ja, was soll ich, nach diesem Wetterschlag,
Der unter mir den Grund zerreißt, beginnen?   590
Mir ruht der Vater, mir die teure Mutter,
Im Grab zu Amsterdam; in Schutt und Asche
Liegt Dortrecht, meines Hauses Erbe, da;
Gedrängt von Spaniens Tyrannenheeren,
Weiß Moritz kaum, mein Vetter von Oranien,
Wo er die eignen Kinder retten soll:
Und jetzt sinkt mir die letzte Stütze nieder,
Die meines Glückes Rebe aufrecht hielt.
Ich ward zum zweitenmale heut verwaist.
D e r P r i n z v o n H o m b u r g *(schlägt einen Arm um*
ihren Leib). O meine Freundin! Wäre diese Stunde   600
Der Trauer nicht geweiht, so wollt ich sagen:
Schlingt Eure Zweige hier um diese Brust,
Um sie, die schon seit Jahren, einsam blühend,
Nach eurer Glocken holden Duft sich sehnt!
N a t a l i e. Mein lieber, guter Vetter!
D e r P r i n z v o n H o m b u r g. – Wollt Ihr? Wollt Ihr?
N a t a l i e. – Wenn ich ins innre Mark ihr wachsen darf?
(Sie legt sich an seine Brust.)
D e r P r i n z v o n H o m b u r g.
Wie? Was war das?

Natalie.   Hinweg!
Der Prinz von Homburg *(hält sie).*
                                        In ihren Kern!
In ihres Herzens Kern, Natalie!
                    (Er küßt sie; sie reißt sich los.)
O Gott, wär er jetzt da, den wir beweinen,
Um diesen Bund zu schauen! Könnten wir   610
Zu ihm aufstammeln: Vater, segne uns!
*Er bedeckt sein Gesicht mit seinen Händen; Natalie wendet
            sich wieder zur Kurfürstin zurück.)*

SIEBENTER AUFTRITT

Ein Wachtmeister tritt eilig auf. – Die Vorigen.

Wachtmeister.
    Mein Prinz, kaum wag ich, beim lebendgen Gott,
    Welch ein Gerücht sich ausstreut, Euch zu melden!
    – Der Kurfürst lebt!
Der Prinz von Homburg.
                            Er lebt!
Wachtmeister.   Beim hohen Himmel!
    Graf Sparren bringt die Nachricht eben her.
Natalie. Herr meines Lebens! Mutter; hörtest dus? *(Sie
    stürzt vor der Kurfürstin nieder und umfaßt ihren Leib.)*
Der Prinz von Homburg.
    Nein, sag –! Wer bringt mir –?
Wachtmeister.   Graf Georg von Sparren,
    Der ihn in Hackelwitz beim Truchßschen Korps,
    Mit eignem Aug, gesund und wohl, gesehn!
Der Prinz von Homburg.
    Geschwind! Lauf, Alter! Bring ihn mir herein!   620
                    (Wachtmeister ab.)

ACHTER AUFTRITT

*Graf Georg von Sparren und der Wachtmeister treten auf. –
                    Die Vorigen.*

Kurfürstin.
    O stürzt mich zweimal nicht zum Abgrund nieder!
Natalie. Nein, meine teure Mutter!

Kurfürstin.   Friedrich lebt?
Natalie *(hält sie mit beiden Händen aufrecht).*
   Des Daseins Gipfel nimmt Euch wieder auf!
Wachtmeister *(auftretend).*
   Hier ist der Offizier!
Der Prinz von Homburg.
                         Herr Graf von Sparren!
   Des Herrn Durchlaucht habt Ihr frisch und wohlauf,
   Beim Truchßschen Korps, in Hackelwitz, gesehn?
Graf Sparren.
   Ja, mein erlauchter Prinz, im Hof des Pfarrers,
   Wo er Befehle gab, vom Stab umringt,
   Die Toten beider Heere zu begraben!
Die Hofdamen.
   O Gott! An deine Brust – *(Sie umarmen sich.)*
Kurfürstin.   O meine Tochter!   630
Natalie. Nein, diese Seligkeit ist fast zu groß!
   (Sie drückt ihr Gesicht in der Tante Schoß.)
Der Prinz von Homburg.
   Sah ich von fern, an meiner Reuter Spitze,
   Ihn nicht, zerschmettert von Kanonenkugeln,
   In Staub, samt seinem Schimmel, niederstürzen?
Graf Sparren.
   Der Schimmel, allerdings, stürzt', samt dem Reuter,
   Doch wer ihn ritt, mein Prinz, war nicht der Herr.
Der Prinz von Homburg.
   Nicht? Nicht der Herr?
Natalie.   O Jubel!
   (Sie steht auf und stellt sich an die Seite der Kurfürstin.)
Der Prinz von Homburg. Sprich! Erzähle!
   Dein Wort fällt schwer wie Gold in meine Brust!
Graf Sparren.
   O laßt die rührendste Begebenheit,
   Die je ein Ohr vernommen, Euch berichten!   640
   Der Landesherr, der, jeder Warnung taub,
   Den Schimmel wieder ritt, den strahlendweißen,
   Den Froben jüngst in England ihm erstand,
   War wieder, wie bis heut noch stets geschah,
   Das Ziel der feindlichen Kanonenkugeln.
   Kaum konnte, wer zu seinem Troß gehörte,
   Auf einen Kreis von hundert Schritt ihm nahn;

Granaten wälzten, Kugeln und Kartätschen,
Sich wie ein breiter Todesstrom daher,
Und alles, was da lebte, wich ans Ufer: 650
Nur er, der kühne Schwimmer, wankte nicht,
Und, stets den Freunden winkend, ruder' er
Getrost den Höhn zu, wo die Quelle sprang.
Der Prinz von Homburg.
Beim Himmel, ja! Ein Grausen wars, zu sehn.
Graf Sparren.
Stallmeister Froben, der, beim Troß der Suite,
Zunächst ihm folgt, ruft dieses Wort mir zu:
»Verwünscht sei heut mir dieses Schimmels Glanz,
Mit schwerem Gold in London jüngst erkauft!
Wollt ich doch funfzig Stück Dukaten geben,
Könnt ich ihn mit dem Grau der Mäuse decken.«   660
Er naht, voll heißer Sorge, ihm und spricht:
»Hoheit, dein Pferd ist scheu, du mußt verstatten,
Daß ichs noch einmal in die Schule nehme!«
Mit diesem Wort entsitzt er seinem Fuchs,
Und fällt dem Tier des Herren in den Zaum.
Der Herr steigt ab, still lächelnd, und versetzt:
»Die Kunst, die du ihn, Alter, lehren willst,
Wird er, solang es Tag ist, schwerlich lernen.
Nimm, bitt ich, fern ihn, hinter jenen Hügeln,
Wo seines Fehls der Feind nicht achtet, vor.«   670
Dem Fuchs drauf sitzt er auf, den Froben reitet,
Und kehrt zurück, wohin sein Amt ihn ruft.
Doch Froben hat den Schimmel kaum bestiegen,
So reißt, entsendet aus der Feldredoute,
Ihn schon ein Mordblei, Roß und Reuter, nieder.
In Staub sinkt er, ein Opfer seiner Treue,
Und keinen Laut vernahm man mehr von ihm.
(Kurze Pause.)
Der Prinz von Homburg.
Er ist bezahlt! – Wenn ich zehn Leben hätte,
Könnt ich sie besser brauchen nicht, als so!
Natalie. Der wackre Froben!
Kurfürstin.   Der Vortreffliche!   680
Natalie.
Ein Schlechtrer wäre noch der Tränen wert!
(Sie weinen.)

Der Prinz von Homburg.
Genug! Zur Sache jetzt. Wo ist der Kurfürst?
Nahm er in Hackelwitz sein Hauptquartier?
Graf Sparren.
Vergib! der Herr ist nach Berlin gegangen,
Und die gesamte Generalität
Ist aufgefordert, ihm dahin zu folgen.
Der Prinz von Homburg.
Wie? Nach Berlin? – Ist denn der Feldzug aus?
Graf Sparren.
Fürwahr, ich staune, daß dir alles fremd! –
Graf Horn, der schwedsche General, traf ein;
Es ist im Lager, gleich nach seiner Ankunft,   690
Ein Waffenstillstand ausgerufen worden.
Wenn ich den Marschall Dörfling recht verstanden,
Ward eine Unterhandlung angeknüpft:
Leicht, daß der Frieden selbst erfolgen kann.
Kurfürstin. O Gott, wie herrlich klärt sich alles auf!
(Sie steht auf.)
Der Prinz von Homburg.
Kommt, laßt sogleich uns nach Berlin ihm folgen!
– Räumst du, zu rascherer Beförderung, wohl
Mir einen Platz in deinem Wagen ein?
– Zwei Zeilen nur an Kottwitz schreib ich noch,
Und steige augenblicklich mit dir ein.   700
(Er setzt sich nieder und schreibt.)
Kurfürstin. Von ganzem Herzen gern!
Der Prinz von Homburg *(legt den Brief zusammen und übergibt ihn dem Wachtmeister; indem er sich wieder zur Kurfürstin wendet, und den Arm sanft um Nataliens Leib legt).* Ich habe so
Dir einen Wunsch noch schüchtern zu vertraun,
Des ich mich auf der Reis entlasten will.
Natalie *(macht sich von ihm los).*
Bork! Rasch! Mein Halstuch, bitt ich!
Kurfürstin. Du? Einen Wunsch mir?
Erste Hofdame.
Ihr tragt das Tuch, Prinzessin, um den Hals!
Der Prinz von Homburg *(zur Kurfürstin).*
Was? Rätst du nichts?
Kurfürstin. Nein, nichts!

D e r P r i n z v o n H o m b u r g.   Was? Keine Silbe? –
K u r f ü r s t i n *(abbrechend).*
 Gleichviel! – Heut keinem Flehenden auf Erden
 Antwort ich: nein! was es auch immer sei;
 Und dir, du Sieger in der Schlacht, zuletzt!
 – Hinweg!
D e r P r i n z v o n H o m b u r g.
         O Mutter! Welch ein Wort sprachst du?   710
 Darf ichs mir deuten, wie es mir gefällt?
K u r f ü r s t i n. Hinweg, sag ich! Im Wagen mehr davon!
D e r P r i n z v o n H o m b u r g.
 Kommt, gebt mir Euren Arm! – O Cäsar Divus!
 Die Leiter setz ich an, an deinen Stern!
         (Er führt die Damen ab; alle folgen.)

Szene: Berlin. Lustgarten vor dem alten Schloß. Im Hintergrunde die Schloßkirche, mit einer Treppe. Glockenklang;
die Kirche ist stark erleuchtet; man sieht die Leiche Frobens
vorübertragen, und auf einen prächtigen Katafalk nieder-
                    setzen.

                NEUNTER AUFTRITT

*Der Kurfürst, Feldmarschall Dörfling, Obrist Hennings,
Graf Truchß, und mehrere andere Obristen und Offiziere
treten auf. Ihm gegenüber zeigen sich einige Offiziere mit
Depeschen. – In der Kirche sowohl als auf dem Platz Volk
            jeden Alters und Geschlechts.*

D e r K u r f ü r s t. Wer immer auch die Reuterei geführt,
 Am Tag der Schlacht, und, eh der Obrist Hennings
 Des Feindes Brücken hat zerstören können,
 Damit ist aufgebrochen, eigenmächtig,
 Zur Flucht, bevor ich Order gab, ihn zwingend,
 Der ist des Todes schuldig, das erklär ich,   720
 Und vor ein Kriegsgericht bestell ich ihn.
 – Der Prinz von Homburg hat sie nicht geführt?

713 f. O *Cäsar Divus:* Göttlicher Cäsar. Vergil spricht in seiner
Ekloge 9,47 von dem ›Stern Cäsars‹, einem Kometen, der als Beweis für
Cäsars Vergöttlichung betrachtet wurde. Diesen Stern will Homburg
erreichen.

Graf Truchß.
  Nein, mein erlauchter Herr!
Der Kurfürst.   Wer sagt mir das?
Graf Truchß. Das können Reuter dir bekräftigen,
  Die mirs versichert, vor Beginn der Schlacht.
  Der Prinz hat mit dem Pferd sich überschlagen,
  Man hat verwundet schwer, an Haupt und Schenkeln,
  In einer Kirche ihn verbinden sehn.
Der Kurfürst.
  Gleichviel. Der Sieg ist glänzend dieses Tages,
  Und vor dem Altar morgen dank ich Gott.   730
  Doch wär er zehnmal größer, das entschuldigt
  Den nicht, durch den der Zufall mir ihn schenkt:
  Mehr Schlachten noch, als die, hab ich zu kämpfen,
  Und will, daß dem Gesetz Gehorsam sei.
  Wers immer war, der sie zur Schlacht geführt,
  Ich wiederhols, hat seinen Kopf verwirkt,
  Und vor ein Kriegsrecht hiemit lad ich ihn.
  – Folgt, meine Freunde, in die Kirche mir!

ZEHNTER AUFTRITT

Der Prinz von Homburg, drei schwedsche Fahnen in der
Hand, Obrist Kottwitz, mit deren zwei, Graf Hohenzollern,
Rittmeister Golz, Graf Reuß, jeder mit einer Fahne, mehrere
andere Offiziere, Korporale und Reuter, mit Fahnen, Pau-
ken und Standarten, treten auf.

Feldmarschall Dörfling *(so wie er den Prinzen*
  erblickt).
  Der Prinz von Homburg! – Truchß! Was machtet Ihr?
Der Kurfürst *(stutzt).*
  Wo kommt Ihr her, Prinz?
Der Prinz von Homburg *(einige Schritte vor-*
schreitend).   Von Fehrbellin, mein Kurfürst, 740
  Und bringe diese Siegstrophäen dir.
(Er legt die drei Fahnen vor ihm nieder; die Offiziere, Kor-
porale und Reuter folgen, jeder mit der ihrigen.)
Der Kurfürst *(betroffen).*
  Du bist verwundet, hör ich, und gefährlich?
  – Graf Truchß!

Der Prinz von Homburg *(heiter).*
   Vergib!
Graf Truchß.   Beim Himmel, ich erstaune!
Der Prinz von Homburg.
 Mein Goldfuchs fiel, vor Anbeginn der Schlacht;
 Die Hand hier, die ein Feldarzt mir verband,
 Verdient nicht, daß du sie verwundet taufst.
Der Kurfürst. Mithin hast du die Reuterei geführt?
Der Prinz von Homburg *(sieht ihn an).*
 Ich? Allerdings! Mußt du von mir dies hören?
 – Hier legt ich den Beweis zu Füßen dir.
Der Kurfürst.
 – Nehmt ihm den Degen ab. Er ist gefangen.   750
Feldmarschall *(erschrocken).*
 Wem?
Der Kurfürst *(tritt unter die Fahnen).*
   Kottwitz! Sei gegrüßt mir!
Graf Truchß *(für sich).*   O verflucht!
Obrist Kottwitz.
 Bei Gott, ich bin aufs äußerste –!
Der Kurfürst *(er sieht ihn an).* Was sagst du? –
 Schau, welche Saat für unsern Ruhm gemäht!
 – Die Fahn ist von der schwedschen Leibwacht! Nicht?
 (Er nimmt eine Fahne auf, entwickelt und betrachtet sie.)
Obrist Kottwitz. Mein Kurfürst?
Feldmarschall.   Mein Gebieter?
Der Kurfürst.   Allerdings!
 Und zwar aus König Gustav Adolfs Zeiten!
 – Wie heißt die Inschrift?
Obrist Kottwitz.   Ich glaube –
Feldmarschall.   Per aspera ad astra.
Der Kurfürst.
 Das hat sie nicht bei Fehrbellin gehalten. –
     (Pause.)
Obrist Kottwitz *(schüchtern).*
 Mein Fürst, vergönn ein Wort mir –!
Der Kurfürst.   Was beliebt? –
 Nehmt alles, Fahnen, Pauken und Standarten, 760

---

757. *Per aspera ad astra:* Durchs Steinige (Rauhe) zu den Sternen.
Wahrscheinlich anonyme Kürzung nach Seneca, »Hercules furens« V. 437:
Non est ad astra mollis e terris via.

Und hängt sie an der Kirche Pfeiler auf;
Beim Siegsfest morgen denk ich sie zu brauchen!
*(Der Kurfürst wendet sich zu den Kurieren, nimmt ihnen
die Depeschen ab, erbricht, und liest sie.)*
Obrist Kottwitz *(für sich).*
Das, beim lebendgen Gott, ist mir zu stark!
*(Der Obrist nimmt, nach einigem Zaudern, seine zwei Fah-
nen auf; die übrigen Offiziere und Reuter folgen; zuletzt,
da die drei Fahnen des Prinzen liegen bleiben, hebt Kott-
witz auch diese auf, so daß er nun fünf trägt.)*
Ein Offizier *(tritt vor den Prinzen).*
Prinz, Euren Degen, bitt ich.
Hohenzollern *(mit seiner Fahne, ihm zur Seite tre-
tend).*   Ruhig, Freund!
Der Prinz von Homburg.
Träum ich? Wach ich? Leb ich? Bin ich bei Sinnen?
Golz. Prinz, gib den Degen, rat ich, hin und schweig!
Der Prinz von Homburg.
Ich, ein Gefangener?
Hohenzollern. So ists!
Golz.   Ihr hörts!
Der Prinz von Homburg.
Darf man die Ursach wissen?
Hohenzollern *(mit Nachdruck).* Jetzo nicht!
– Du hast zu zeitig, wie wir gleich gesagt,
Dich in die Schlacht gedrängt; die Order war,   770
Nicht von dem Platz zu weichen, ungerufen!
Der Prinz von Homburg.
Helft Freunde, helft! Ich bin verrückt.
Golz *(unterbrechend).*   Still! Still!
Der Prinz von Homburg.
Sind denn die Märkischen geschlagen worden?
Hohenzollern *(stampft mit dem Fuß auf die Erde).*
Gleichviel! – Der Satzung soll Gehorsam sein.
Der Prinz von Homburg *(mit Bitterkeit).*
So – so, so, so!
Hohenzollern *(entfernt sich von ihm).*
                    Es wird den Hals nicht kosten.
Golz *(ebenso).* Vielleicht, daß du schon morgen wieder los.
*(Der Kurfürst legt die Briefe zusammen, und kehrt sich
wieder in den Kreis der Offiziere zurück.)*

Der Prinz von Homburg *(nachdem er sich den Degen abgeschnallt).*
  Mein Vetter Friedrich will den Brutus spielen,
  Und sieht, mit Kreid auf Leinewand verzeichnet,
  Sich schon auf dem kurulschen Stuhle sitzen:
  Die schwedschen Fahnen in dem Vordergrund,   780
  Und auf dem Tisch die märkschen Kriegsartikel.
  Bei Gott, in mir nicht findet er den Sohn,
  Der, unterm Beil des Henkers, ihn bewundre.
  Ein deutsches Herz, von altem Schrot und Korn,
  Bin ich gewohnt an Edelmut und Liebe,
  Und wenn er mir, in diesem Augenblick,
  Wie die Antike starr entgegenkömmt,
  Tut er mir leid, und ich muß ihn bedauren!
  (Er gibt den Degen an den Offizier und geht ab.)
Der Kurfürst.
  Bringt ihn nach Fehrbellin, ins Hauptquartier,
  Und dort bestellt das Kriegsrecht, das ihn richte.   790
(Ab in die Kirche. Die Fahnen folgen ihm, und werden, während er mit seinem Gefolge an dem Sarge Frobens niederkniet und betet, an den Pfeilern derselben aufgehängt. Trauermusik.)

DRITTER AKT

Szene: Fehrbellin. Ein Gefängnis.

ERSTER AUFTRITT

Der Prinz von Homburg. – Im Hintergrunde zwei Reuter, als Wache. – Der Graf von Hohenzollern tritt auf.

Der Prinz von Homburg.
  Sieh da! Freund Heinrich! Sei willkommen mir!
  – Nun, des Arrestes bin ich wieder los?

---

777. *Brutus:* Lucius Junius Brutus, angeblicher Gründer der römischen Republik und erster der römischen Konsuln (509 v. Chr.), soll der Sage nach seine beiden Söhne zum Tode verurteilt haben, da sie an einer Verschwörung gegen den Staat beteiligt waren.
779. *kurulischer Stuhl:* Ehrensessel der römischen höheren Beamten.

Hohenzollern *(erstaunt).*
  Gott sei Lob, in der Höh!
Der Prinz von Homburg. Was sagst du?
Hohenzollern.   Los?
  Hat er den Degen dir zurück geschickt?
Der Prinz von Homburg.
  Mir? Nein.
Hohenzollern. Nicht?
Der Prinz von Homburg.
                                    Nein!
Hohenzollern.   – Woher denn also los?
Der Prinz von Homburg *(nach einer Pause).*
  Ich glaubte, du, du bringst es mir. – Gleichviel!
Hohenzollern.
  – Ich weiß von nichts.
Der Prinz von Homburg.
                        Gleichviel, du hörst; gleichviel!
  So schickt er einen andern, der mirs melde.
  (Er wendet sich und holt Stühle.)
  Setz dich! – Nun, sag mir an, was gibt es Neues?
  – Der Kurfürst kehrte von Berlin zurück?   800
Hohenzollern *(zerstreut).*
  Ja. Gestern abend.
Der Prinz von Homburg.
                        Ward, beschloßnermaßen,
  Das Siegsfest dort gefeiert? – – Allerdings!
  – Der Kurfürst war zugegen in der Kirche?
Hohenzollern. Er und die Fürstin und Natalie. –
  Die Kirche war, auf würdge Art, erleuchtet;
  Battrieen ließen sich, vom Schloßplatz her,
  Mit ernster Pracht bei dem Tedeum hören.
  Die schwedschen Fahnen wehten und Standarten,
  Trophäenartig, von den Pfeilern nieder,
  Und auf des Herrn ausdrücklichem Befehl,   810
  Ward deines, als des Siegers Namen –
  Erwähnung von der Kanzel her getan.
Der Prinz von Homburg.
  Das hört ich! – – Nun, was gibt es sonst; was bringst du?
  – Dein Antlitz, dünkt mich, sieht nicht heiter, Freund!
Hohenzollern.
  – Sprachst du schon wen?

Der Prinz von Homburg.
<blockquote>
Golz, eben, auf dem Schlosse,
Wo ich, du weißt es, im Verhöre war.
(Pause.)
</blockquote>

Hohenzollern <i>(sieht ihn bedenklich an).</i>
<blockquote>
Was denkst du, Arthur, denn von deiner Lage,
Seit sie so seltsam sich verändert hat?
</blockquote>

Der Prinz von Homburg.
<blockquote>
Ich? Nun, was du und Golz – die Richter selbst!
Der Kurfürst hat getan, was Pflicht erheischte,   820
Und nun wird er dem Herzen auch gehorchen.
Gefehlt hast du, so wird er ernst mir sagen,
Vielleicht ein Wort von Tod und Festung sprechen:
Ich aber schenke dir die Freiheit wieder –
Und um das Schwert, das ihm den Sieg errang,
Schlingt sich vielleicht ein Schmuck der Gnade noch;
– Wenn der nicht, gut; denn den verdient ich nicht!
</blockquote>

Hohenzollern. O Arthur! <i>(Er hält inne.)</i>

Der Prinz von Homburg.
<blockquote>
Nun?
</blockquote>

Hohenzollern.   – Des bist du so gewiß?

Der Prinz von Homburg.
<blockquote>
Ich denks mir so! Ich bin ihm wert, das weiß ich,
Wert wie ein Sohn; das hat seit früher Kindheit,   830
Sein Herz in tausend Proben mir bewiesen.
Was für ein Zweifel ists, der dich bewegt?
Schien er am Wachstum meines jungen Ruhms
Nicht mehr fast, als ich selbst, sich zu erfreun?
Bin ich nicht alles, was ich bin, durch ihn?
Und er, er sollte lieblos jetzt die Pflanze,
Die er selbst zog, bloß, weil sie sich ein wenig
Zu rasch und üppig in die Blume warf,
Mißgünstig in den Staub daniedertreten?
Das glaubt ich seinem schlimmsten Feinde nicht,   840
Vielwen'ger dir, der du ihn kennst und liebst.
</blockquote>

Hohenzollern <i>(bedeutend).</i>
<blockquote>
Du standst dem Kriegsrecht, Arthur, im Verhör,
Und bist des Glaubens noch?
</blockquote>

Der Prinz von Homburg.   Weil ich ihm stand! –
<blockquote>
Bei dem lebendgen Gott, so weit geht keiner,
Der nicht gesonnen wäre, zu begnadgen!
</blockquote>

Dort eben, vor der Schranke des Gerichts,
Dort wars, wo mein Vertraun sich wiederfand.
Wars denn ein todeswürdiges Verbrechen,
Zwei Augenblicke früher, als befohlen,
Die schwedsche Macht in Staub gelegt zu haben?   850
Und welch ein Frevel sonst drückt meine Brust?
Wie könnt er doch vor diesen Tisch mich laden,
Von Richtern, herzlos, die den Eulen gleich,
Stets von der Kugel mir das Grablied singen,
Dächt er, mit einem heitern Herrscherspruch,
Nicht, als ein Gott in ihren Kreis zu treten?
Nein, Freund, er sammelt diese Nacht von Wolken
Nur um mein Haupt, um wie die Sonne mir,
Durch ihren Dunstkreis strahlend aufzugehn:
Und diese Lust, fürwahr, kann ich ihm gönnen!   860

Hohenzollern.
    Das Kriegsrecht gleichwohl, sagt man, hat gesprochen?
Der Prinz von Homburg.
    Ich höre, ja; auf Tod.
Hohenzollern *(erstaunt).*   Du weißt es schon?
Der Prinz von Homburg.
    Golz, der dem Spruch des Kriegsrechts beigewohnt,
    Hat mir gemeldet, wie er ausgefallen.
Hohenzollern.
    Nun denn, bei Gott! – Der Umstand rührt dich nicht?
Der Prinz von Homburg.
    Mich? Nicht im mindesten.
Hohenzollern.   Du Rasender!
    Und worauf stützt sich deine Sicherheit?
Der Prinz von Homburg.
    Auf mein Gefühl von ihm!
    (Er steht auf.)   Ich bitte, laß mich!
    Was soll ich mich mit falschen Zweifeln quälen?
    (Er besinnt sich und läßt sich wieder nieder. – Pause.)
    Das Kriegsrecht mußte auf den Tod erkennen;   870
    So lautet das Gesetz, nach dem es richtet.
    Doch eh er solch ein Urteil läßt vollstrecken,
    Eh er dies Herz hier, das getreu ihn liebt,
    Auf eines Tuches Wink, der Kugel preis gibt,
    Eh sieh, eh öffnet er die eigne Brust sich,
    Und sprützt sein Blut selbst tropfenweis in Staub.

Hohenzollern. Nun, Arthur, ich versichre dich –
Der Prinz von Homburg *(unwillig).*   O Lieber!
Hohenzollern.
   Der Marschall –
Der Prinz von Homburg *(ebenso).*
                   Laß mich, Freund!
Hohenzollern.   Zwei Worte hör noch!
   Wenn die dir auch nichts gelten, schweig ich still.
Der Prinz von Homburg *(wendet sich wieder zu*
   ihm). Du hörst, ich weiß von allem. – Nun? Was ists?   880
Hohenzollern.
   Der Marschall hat, höchst seltsam ists, soeben ·
   Das Todesurteil im Schloß ihm überreicht;
   Und er, statt wie das Urteil frei ihm stellt,
   Dich zu begnadigen, er hat befohlen,
   Daß es zur Unterschrift ihm kommen soll.
Der Prinz von Homburg.
   Gleichviel. Du hörst.
Hohenzollern. Gleichviel?
Der Prinz von Homburg. Zur Unterschrift?
Hohenzollern.
   Bei meiner Ehr! Ich kann es dir versichern.
Der Prinz von Homburg.
   Das Urteil? – Nein! die Schrift –?
Hohenzollern.   Das Todesurteil.
Der Prinz von Homburg.
   – Wer hat dir das gesagt?
Hohenzollern.   Er selbst, der Marschall!
Der Prinz von Homburg.
   Wann?
Hohenzollern.
      Eben jetzt.
Der Prinz von Homburg.
                Als er vom Herrn zurück kam?   890
Hohenzollern.
   Als er vom Herrn die Treppe niederstieg! –
   Er fügt' hinzu, da er bestürzt mich sah,
   Verloren sei noch nichts, und morgen sei
   Auch noch ein Tag, dich zu begnadigen;
   Doch seine bleiche Lippe widerlegte
   Ihr eignes Wort, und sprach: ich fürchte, nein!

Der Prinz von Homburg *(steht auf).*
  Er könnte – nein! so ungeheuere
  Entschließungen in seinem Busen wälzen?
  Um eines Fehls, der Brille kaum bemerkbar,
  In dem Demanten, den er jüngst empfing,   900
  In Staub den Geber treten? Eine Tat,
  Die weiß den Dei von Algier brennt, mit Flügeln,
  Nach Art der Cherubinen, silberglänzig,
  Den Sardanapel ziert, und die gesamte
  Altrömische Tyrannenreihe, schuldlos,
  Wie Kinder, die am Mutterbusen sterben,
  Auf Gottes rechter Seit hinüberwirft?
Hohenzollern *(der gleichfalls aufgestanden).*
  Du mußt, mein Freund, dich davon überzeugen.
Der Prinz von Homburg.
  Und der Feldmarschall schwieg und sagte nichts?
Hohenzollern.
  Was sollt er sagen?
Der Prinz von Homburg.
                    O Himmel! Meine Hoffnung!   910
Hohenzollern.
  Hast du vielleicht je einen Schritt getan,
  Seis wissentlich, seis unbewußt,
  Der seinem stolzen Geist zu nah getreten?
Der Prinz von Homburg.
  Niemals!
Hohenzollern. Besinne dich!
Der Prinz von Homburg. Niemals, beim Himmel!
  Mir war der Schatten seines Hauptes heilig.
Hohenzollern.
  Arthur, sei mir nicht böse, wenn ich zweifle.
  Graf Horn traf, der Gesandte Schwedens, ein,
  Und sein Geschäft geht, wie man mir versichert,
  An die Prinzessin von Oranien.
  Ein Wort, das die Kurfürstin Tante sprach,   920
  Hat aufs empfindlichste den Herrn getroffen;

---

902. *Dei von Algier* (ebenso 1412: *Dei von Tunis*): Janitscharenfürsten, mußten ihre meist kurzlebige Herrschaft durch grausamsten Despotismus behaupten.
904. *Sardanapel:* Assurbanipal, griech. Sardanapal, als grausam bekannter assyrischer König des 7. Jh.s v. Chr.

Man sagt, das Fräulein habe schon gewählt.
Bist du auf keine Weise hier im Spiele?

Der Prinz von Homburg.
O Gott! Was sagst du mir?

Hohenzollern.   Bist dus? Bist dus?

Der Prinz von Homburg.
Ich bins, mein Freund; jetzt ist mir alles klar;
Es stürzt der Antrag ins Verderben mich:
An ihrer Weigrung, wisse, bin ich schuld,
Weil mir sich die Prinzessin anverlobt!

Hohenzollern.
Du unbesonnener Tor! Was machtest du?
Wie oft hat dich mein treuer Mund gewarnt?   930

Der Prinz von Homburg.
O Freund! Hilf, rette mich! Ich bin verloren.

Hohenzollern.
Ja, welch ein Ausweg führt aus dieser Not?
Willst du vielleicht die Fürstin Tante sprechen?

Der Prinz von Homburg *(wendet sich).*
– He, Wache!

Reuter *(im Hintergrunde).*
                    Hier!

Der Prinz von Homburg.
                    Ruft euren Offizier! –
*(Er nimmt eilig einen Mantel um von der Wand, und
setzt einen Federhut auf, der auf dem Tisch liegt.)*

Hohenzollern *(indem er ihm behülflich ist).*
Der Schritt kann, klug gewandt, dir Rettung bringen.
– Denn kann der Kurfürst nur mit König Karl,
Um den bewußten Preis, den Frieden schließen,
So sollst du sehn, sein Herz versöhnt sich dir,
Und gleich, in wenig Stunden, bist du frei.

ZWEITER AUFTRITT

Der Offizier tritt auf. – Die Vorigen.

Der Prinz von Homburg *(zu dem Offizier).*
Stranz, übergeben bin ich deiner Wache!   940
Erlaub, in einem dringenden Geschäft,
Daß ich auf eine Stunde mich entferne.

Der Offizier. Mein Prinz, mir übergeben bist du nicht
   Die Order, die man mir erteilt hat, lautet,
   Dich gehn zu lassen frei, wohin du willst.
Der Prinz von Homburg.
   Seltsam! – So bin ich kein Gefangener?
Der Offizier. Vergib! – Dein Wort ist eine Fessel auch
Hohenzollern (bricht auf).
   Auch gut! Gleichviel! –
Der Prinz von Homburg.
                              Wohlan! So leb denn wohl!
Hohenzollern.
   Die Fessel folgt dem Prinzen auf dem Fuße!
Der Prinz von Homburg.
   Ich geh aufs Schloß zu meiner Tante nur,   950
   Und bin in zwei Minuten wieder hier.
                        (Alle ab.)

                Szene: Zimmer der Kurfürstin.

                    DRITTER AUFTRITT

            Die Kurfürstin und Natalie treten auf.

Die Kurfürstin.
   Komm, meine Tochter; komm! Dir schlägt die Stunde!
   Graf Gustav Horn, der schwedische Gesandte,
   Und die Gesellschaft, hat das Schloß verlassen;
   Im Kabinett des Onkels seh ich Licht:
   Komm, leg das Tuch dir um und schleich dich zu ihm,
   Und sieh, ob du den Freund dir retten kannst.
                    (Sie wollen gehen.)

                    VIERTER AUFTRITT

         Eine Hofdame tritt auf. – Die Vorigen.

Die Hofdame.
   Prinz Homburg, gnädge Frau, ist vor der Türe!
   – Kaum weiß ich wahrlich, ob ich recht gesehn?
Kurfürstin (betroffen).
   O Gott!

Natalie. Er selbst?
Kurfürstin.   Hat er denn nicht Arrest?   960
Die Hofdame.
   Er steht in Federhut und Mantel draußen,
   Und fleht, bestürzt und dringend um Gehör.
Kurfürstin *(unwillig).*
   Der Unbesonnene! Sein Wort zu brechen!
Natalie. Wer weiß, was ihn bedrängt.
Kurfürstin *(nach einigem Bedenken).*
                    – Laßt ihn herein!
(Sie selbst setzt sich auf einen Stuhl.)

FÜNFTER AUFTRITT

Der Prinz von Homburg tritt auf. – Die Vorigen.

Der Prinz von Homburg.
   O meine Mutter!
   (Er läßt sich auf Knieen vor ihr nieder.)
Kurfürstin.   Prinz! Was wollt Ihr hier?
Der Prinz von Homburg.
   O laß mich deine Knie umfassen, Mutter!
Kurfürstin *(mit unterdrückter Rührung).*
   Gefangen seid Ihr, Prinz, und kommt hieher!
   Was häuft Ihr neue Schuld zu Euren alten?
Der Prinz von Homburg *(dringend).*
   Weißt du, was mir geschehn?
Kurfürstin.   Ich weiß um alles!
   Was aber kann ich, Ärmste, für Euch tun?   970
Der Prinz von Homburg.
   O meine Mutter, also sprächst du nicht,
   Wenn dich der Tod umschauerte, wie mich!
   Du scheinst mit Himmelskräften, rettenden,
   Du mir, das Fräulein, deine Fraun, begabt,
   Mir alles rings umher, dem Troßknecht könnt ich,
   Dem schlechtesten, der deiner Pferde pflegt,
   Gehängt am Halse flehen: rette mich!
   Nur ich allein, auf Gottes weiter Erde,
   Bin hülflos, ein Verlaßner, und kann nichts!
Kurfürstin.
   Du bist ganz außer dir! Was ist geschehn?   980

Der Prinz von Homburg.
>Ach! Auf dem Wege, der mich zu dir führte,
>Sah ich das Grab, beim Schein der Fackeln, öffnen,
>Das morgen mein Gebein empfangen soll.
>Sieh, diese Augen, Tante, die dich anschaun,
>Will man mit Nacht umschatten, diesen Busen
>Mit mörderischen Kugeln mir durchbohren.
>Bestellt sind auf dem Markte schon die Fenster,
>Die auf das öde Schauspiel niedergehn,
>Und der die Zukunft, auf des Lebens Gipfel,
>Heut, wie im Feenreich, noch überschaut,   990
>Liegt in zwei engen Brettern duftend morgen,
>Und ein Gestein sagt dir von ihm: er war!

(Die Prinzessin, welche bisher, auf die Schulter der Hofdame gelehnt, in der Ferne gestanden hat, läßt sich, bei diesen Worten, erschüttert an einen Tisch nieder und weint.)

Kurfürstin.
>Mein Sohn! Wenns so des Himmels Wille ist,
>Wirst du mit Mut dich und mit Fassung rüsten!

Der Prinz von Homburg.
>O Gottes Welt, o Mutter, ist so schön!
>Laß mich nicht, fleh ich, eh die Stunde schlägt,
>Zu jenen schwarzen Schatten niedersteigen!
>Mag er doch sonst, wenn ich gefehlt, mich strafen,
>Warum die Kugel eben muß es sein?
>Mag er mich meiner Ämter doch entsetzen,   1000
>Mit Kassation, wenns das Gesetz so will,
>Mich aus dem Heer entfernen: Gott des Himmels!
>Seit ich mein Grab sah, will ich nichts, als leben,
>Und frage nichts mehr, ob es rühmlich sei!

Kurfürstin.
>Steh auf, mein Sohn; steh auf! Was sprichst du da?
>Du bist zu sehr erschüttert. Fasse dich!

Der Prinz von Homburg.
>Nicht, Tante, ehr als bis du mir gelobt,
>Mit einem Fußfall, der mein Dasein rette,
>Flehnd seinem höchsten Angesicht zu nahn!
>Dir übergab zu Homburg, als sie starb,   1010
>Die Hedwig mich, und sprach, die Jugendfreundin:
>Sei ihm die Mutter, wenn ich nicht mehr bin.
>Du beugtest tief gerührt, am Bette kniend,

Auf ihre Hand dich und erwidertest:
Er soll mir sein, als hätt ich ihn erzeugt.
Nun, jetzt erinnr' ich dich an solch ein Wort!
Geh hin, als hättst du mich erzeugt, und sprich:
Um Gnade fleh ich, Gnade! Laß ihn frei!
Ach, und komm mir zurück und sprich: du bists!

Kurfürstin (weint).
Mein teurer Sohn! Es ist bereits geschehn!   1020
Doch alles, was ich flehte, war umsonst!

Der Prinz von Homburg.
Ich gebe jeden Anspruch auf an Glück.
Nataliens, das vergiß nicht, ihm zu melden,
Begehr ich gar nicht mehr, in meinem Busen
Ist alle Zärtlichkeit für sie verlöscht.
Frei ist sie, wie das Reh auf Heiden, wieder;
Mit Hand und Mund, als wär ich nie gewesen,
Verschenken kann sie sich, und wenns Karl Gustav,
Der Schweden König, ist, so lob ich sie.
Ich will auf meine Güter gehn am Rhein,   1030
Da will ich bauen, will ich niederreißen,
Daß mir der Schweiß herabtrieft, säen, ernten,
Als wärs für Weib und Kind, allein genießen,
Und, wenn ich erntete, von neuem säen,
Und in den Kreis herum das Leben jagen,
Bis es am Abend niedersinkt und stirbt.

Kurfürstin.
Wohlan! Kehr jetzt nur heim in dein Gefängnis,
Das ist die erste Fordrung meiner Gunst!

Der Prinz von Homburg (steht auf und wendet
sich zur Prinzessin).
Du armes Mädchen, weinst! Die Sonne leuchtet
Heut alle deine Hoffnungen zu Grab!   1040
Entschieden hat dein erst Gefühl für mich,
Und deine Miene sagt mir, treu wie Gold,
Du wirst dich nimmer einem andern weihn.
Ja, was erschwing ich, Ärmster, das dich tröste?
Geh an den Main, rat ich, ins Stift der Jungfraun,
Zu deiner Base Thurn, such in den Bergen
Dir einen Knaben, blondgelockt wie ich,
Kauf ihn mit Gold und Silber dir, drück ihn
An deine Brust und lehr ihn: Mutter! stammeln,

Und wenn er größer ist, so unterweis ihn,   105
Wie man den Sterbenden die Augen schließt.
Das ist das ganze Glück, das vor dir liegt!

N a t a l i e *(mutig und erhebend, indem sie aufsteht und*
ihre Hand in die seinige legt).
Geh, junger Held, in deines Kerkers Haft,
Und auf dem Rückweg, schau noch einmal ruhig
Das Grab dir an, das dir geöffnet wird!
Es ist nichts finstrer und um nichts breiter,
Als es dir tausendmal die Schlacht gezeigt!
Inzwischen werd ich, in dem Tod dir treu,
Ein rettend Wort für dich dem Oheim wagen:
Vielleicht gelingt es mir, sein Herz zu rühren,   106
Und dich von allem Kummer zu befrein!
                        (Pause.)

D e r P r i n z v o n H o m b u r g *(faltet, in ihrem An-*
schaun verloren, die Hände).
Hättst du zwei Flügel, Jungfrau, an den Schultern,
Für einen Engel wahrlich hielt ich dich! –
O Gott, hört ich auch recht? Du für mich sprechen?
– Wo ruhte denn der Köcher dir der Rede,
Bis heute, liebes Kind, daß du willst wagen,
Den Herrn in solcher Sache anzugehn? –
– O Hoffnungslicht, das plötzlich mich erquickt!

N a t a l i e. Gott wird die Pfeile mir, die treffen, reichen! –
Doch wenn der Kurfürst des Gesetzes Spruch   107
Nicht ändern kann, nicht kann: wohlan! so wirst du
Dich tapfer ihm, der Tapfre, unterwerfen:
Und der im Leben tausendmal gesiegt,
Er wird auch noch im Tod zu siegen wissen!

K u r f ü r s t i n.
Hinweg! – Die Zeit verstreicht, die günstig ist!

D e r P r i n z v o n H o m b u r g.
Nun, alle Heilgen mögen dich beschirmen!
Leb wohl! Leb wohl! Und was du auch erringst,
Vergönne mir ein Zeichen vom Erfolg!
                        (Alle ab.)

VIERTER AKT

Szene: Zimmer des Kurfürsten.

ERSTER AUFTRITT

Der Kurfürst steht mit Papieren an einem, mit Lichtern be-
setzten Tisch. – Natalie tritt durch die mittlere Tür auf und
läßt sich in einiger Entfernung, vor ihm nieder.
Pause.

Natalie *(knieend).*
　Mein edler Oheim, Friedrich von der Mark!
Der Kurfürst *(legt die Papiere weg).*
　Natalie! *(Er will sie erheben.)*
Natalie. Laß, laß!
Der Kurfürst.　Was willst du, Liebe?　　　　1080
Natalie. Zu deiner Füße Staub, wies mir gebührt,
　Für Vetter Homburg dich um Gnade flehn!
　Ich will ihn nicht für mich erhalten wissen –
　Mein Herz begehrt sein und gesteht es dir;
　Ich will ihn nicht für mich erhalten wissen –
　Mag er sich welchem Weib er will vermählen;
　Ich will nur, daß er da sei, lieber Onkel,
　Für sich, selbständig, frei und unabhängig,
　Wie eine Blume, die mir wohlgefällt:
　Dies fleh ich dich, mein höchster Herr und Freund,　1090
　Und weiß, solch Flehen wirst du mir erhören.
Der Kurfürst *(erhebt sie).*
　Mein Töchterchen! Was für ein Wort entfiel dir?
　– Weißt du, was Vetter Homburg jüngst verbrach?
Natalie. O lieber Onkel!
Der Kurfürst.　　Nun? Verbrach er nichts?
Natalie. O dieser Fehltritt, blond mit blauen Augen,
　Den, eh er noch gestammelt hat: ich bitte!
　Verzeihung schon vom Boden heben sollte:
　Den wirst du nicht mit Füßen von dir weisen!
　Den drückst du um die Mutter schon ans Herz,
　Die ihn gebar, und rufst: komm, weine nicht;　　1100
　Du bist so wert mir, wie die Treue selbst!

Wars Eifer nicht, im Augenblick des Treffens,
Für deines Namens Ruhm, der ihn verführt,
Die Schranke des Gesetzes zu durchbrechen:
Und ach! die Schranke jugendlich durchbrochen,
Trat er dem Lindwurm männlich nicht aufs Haupt?
Erst, weil er siegt', ihn kränzen, dann enthaupten,
Das fordert die Geschichte nicht von dir;
Das wäre so erhaben, lieber Onkel,
Daß man es fast unmenschlich nennen könnte: 111(
Und Gott schuf noch nichts Milderes, als dich.

Der Kurfürst.
Mein süßes Kind! Sieh! Wär ich ein Tyrann,
Dein Wort, das fühl ich lebhaft, hätte mir
Das Herz schon in der erznen Brust geschmelzt.
Dich aber frag ich selbst: darf ich den Spruch
Den das Gericht gefällt, wohl unterdrücken? –
Was würde wohl davon die Folge sein?

Natalie. Für wen? Für dich?

Der Kurfürst.   Für mich; nein! – Was? Für mich
Kennst du nichts Höhres, Jungfrau, als nur mich?
Ist dir ein Heiligtum ganz unbekannt,   112(
Das in dem Lager, Vaterland sich nennt?

Natalie.
O Herr! Was sorgst du doch? Dies Vaterland!
Das wird, um dieser Regung deiner Gnade,
Nicht gleich, zerschellt in Trümmern, untergehn.
Vielmehr, was du, im Lager auferzogen,
Unordnung nennst, die Tat, den Spruch der Richter,
In diesem Fall, willkürlich zu zerreißen,
Erscheint mir als die schönste Ordnung erst:
Das Kriegsgesetz, das weiß ich wohl, soll herrschen,
Jedoch die lieblichen Gefühle auch.   113(
Das Vaterland, das du uns gründetest,
Steht, eine feste Burg, mein edler Ohm:
Das wird ganz andre Stürme noch ertragen,
Fürwahr, als diesen unberufnen Sieg;
Das wird sich ausbaun herrlich, in der Zukunft,
Erweitern, unter Enkels Hand, verschönern,
Mit Zinnen, üppig, feenhaft, zur Wonne
Der Freunde, und zum Schrecken aller Feinde:
Das braucht nicht dieser Bindung, kalt und öd,

Aus eines Freundes Blut, um Onkels Herbst,⁣ 1140
Den friedlich prächtigen, zu überleben.
Der Kurfürst.
Denkt Vetter Homburg auch so?
Natalie.⁣ Vetter Homburg?
Der Kurfürst. Meint er, dem Vaterlande gelt es gleich,
Ob Willkür drin, ob drin die Satzung herrsche?
Natalie. Ach, dieser Jüngling!
Der Kurfürst.⁣ Nun?
Natalie.⁣ Ach, lieber Onkel!
Hierauf zur Antwort hab ich nichts, als Tränen.
Der Kurfürst *(betroffen)*.
Warum, mein Töchterchen? Was ist geschehn?
Natalie *(zaudernd)*.
Der denkt jetzt nichts, als nur dies eine: Rettung!
Den schaun die Röhren, an der Schützen Schultern,
So gräßlich an, daß überrascht und schwindelnd,⁣ 1150
Ihm jeder Wunsch, als nur zu leben, schweigt:
Der könnte, unter Blitz und Donnerschlag,
Das ganze Reich der Mark versinken sehn,
Daß er nicht fragen würde: was geschieht?
– Ach, welch ein Heldenherz hast du geknickt!
(Sie wendet sich und weint.)
Der Kurfürst *(im äußersten Erstaunen)*.
Nein, meine teuerste Natalie,
Unmöglich, in der Tat?! – Er fleht um Gnade?
Natalie. Ach, hättst du nimmer, nimmer ihn verdammt!
Der Kurfürst.
Nein, sag: er fleht um Gnade? – Gott im Himmel,
Was ist geschehn, mein liebes Kind? Was weinst du?⁣ 1160
Du sprachst ihn? Tu mir alles kund! Du sprachst ihn?
Natalie *(an seine Brust gelehnt)*.
In den Gemächern eben jetzt der Tante,
Wohin, im Mantel, schau, und Federhut
Er, unterm Schutz der Dämmrung, kam geschlichen:
Verstört und schüchtern, heimlich, ganz unwürdig,
Ein unerfreulich, jammernswürdger Anblick!
Zu solchem Elend, glaubt ich, sänke keiner,
Den die Geschicht als ihren Helden preist.
Schau her, ein Weib bin ich, und schaudere
Dem Wurm zurück, der meiner Ferse naht:⁣ 1170

Doch so zermalmt, so fassungslos, so ganz
Unheldenmütig träfe mich der Tod,
In eines scheußlichen Leun Gestalt nicht an!
– Ach, was ist Menschengröße, Menschenruhm!
D e r K u r f ü r s t *(verwirrt).*
Nun denn, beim Gott des Himmels und der Erde,
So fasse Mut, mein Kind; so ist er frei!
N a t a l i e . Wie, mein erlauchter Herr?
D e r K u r f ü r s t .   Er ist begnadigt!
Ich will sogleich das Nötg' an ihn erlassen.
N a t a l i e . O Liebster! Ist es wirklich wahr?
D e r K u r f ü r s t .   Du hörst!
N a t a l i e .
Ihm soll vergeben sein? Er stirbt jetzt nicht?   1180
D e r K u r f ü r s t .
Bei meinem Eid! Ich schwörs dir zu! Wo werd ich
Mich gegen solchen Kriegers Meinung setzen?
Die höchste Achtung, wie dir wohl bekannt,
Trag ich im Innersten für sein Gefühl:
Wenn er den Spruch für ungerecht kann halten
Kassier ich die Artikel: er ist frei! –
(Er bringt ihr einen Stuhl.)
Willst du, auf einen Augenblick, dich setzen?
(Er geht an den Tisch, setzt sich und schreibt.)
                         (Pause.)
N a t a l i e *(für sich).*
Ach, Herz, was klopfst du also an dein Haus?
D e r K u r f ü r s t *(indem er schreibt).*
Der Prinz ist drüben noch im Schloß?
N a t a l i e .   Vergib!
Er ist in seine Haft zurückgekehrt. –   1190
D e r K u r f ü r s t *(endigt und siegelt; hierauf kehrt er mit
dem Brief wieder zur Prinzessin zurück).*
Fürwahr, mein Töchterchen, mein Nichtchen, weinte!
Und ich, dem ihre Freude anvertraut,
Mußt ihrer holden Augen Himmel trüben!
(Er legt den Arm um ihren Leib.)
Willst du den Brief ihm selber überbringen? –
N a t a l i e . Ins Stadthaus! Wie?
D e r K u r f ü r s t *(drückt ihr den Brief in die Hand).*
                    Warum nicht? – He! Heiducken!

(Heiducken treten auf.)
Den Wagen vorgefahren! Die Prinzessin
Hat ein Geschäft beim Obersten von Homburg!
(Die Heiducken treten wieder ab.)
So kann er, für sein Leben, gleich dir danken.
(Er umarmt sie.) Mein liebes Kind! Bist du mir wieder gut?
N a t a l i e *(nach einer Pause).*
Was deine Huld, o Herr, so rasch erweckt,   1200
Ich weiß es nicht und untersuch es nicht.
Das aber, sieh, das fühl ich in der Brust,
Unedel meiner spotten wirst du nicht:
Der Brief enthalte, was es immer sei,
Ich glaube Rettung – und ich danke dir!
(Sie küßt ihm die Hand.)
D e r   K u r f ü r s t.
Gewiß, mein Töchterchen, gewiß! So sicher,
Als sie in Vetter Homburgs Wünschen liegt. *(Ab.)*

Szene: Zimmer der Prinzessin.

ZWEITER AUFTRITT

*Prinzessin Natalie tritt auf. – Zwei Hofdamen und der Ritt-
meister, Graf Reuß, folgen.*

N a t a l i e *(eilfertig).*
Was bringt Ihr, Graf? – Von meinem Regiment?
Ists von Bedeutung? Kann ichs morgen hören?
G r a f   R e u ß *(überreicht ihr ein Schreiben).*
Ein Brief vom Obrist Kottwitz, gnädge Frau!   1210
N a t a l i e. Geschwind! Gebt! Was enthält er?
(Sie eröffnet ihn.)
G r a f   R e u ß.   Eine Bittschrift,
Freimütig, wie Ihr seht, doch ehrfurchtsvoll,
An die Durchlaucht des Herrn, zu unsers Führers,
Des Prinz von Homburg, Gunsten aufgesetzt.
N a t a l i e *(liest).* »Supplik, in Unterwerfung eingereicht,
Vom Regiment, Prinzessin von Oranien.« –
(Pause.)
Die Bittschrift ist von wessen Hand verfaßt?

G r a f R e u ß. Wie ihrer Züg unsichre Bildung schon
    Erraten läßt, vom Obrist Kottwitz selbst. –
    Auch steht sein edler Name obenan.   1220
N a t a l i e. Die dreißig Unterschriften, welche folgen –?
G r a f R e u ß. Der Offiziere Namen, Gnädigste,
    Wie sie, dem Rang nach, Glied für Glied, sich folgen.
N a t a l i e. Und mir, mir wird die Bittschrift zugefertigt?
G r a f R e u ß. Mein Fräulein, untertänigst Euch zu fragen,
    Ob Ihr, als Chef, den ersten Platz, der offen,
    Mit Eurem Namen gleichfalls füllen wollt.
         (Pause.)
N a t a l i e. Der Prinz zwar, hör ich, soll, mein edler Vetter,
    Vom Herrn aus eignem Trieb, begnadigt werden,
    Und eines solchen Schritts bedarf es nicht.   1230
G r a f R e u ß *(vergnügt).*
    Wie? Wirklich?
N a t a l i e.   Gleichwohl will ich unter einem Blatte,
    Das, in des Herrn Entscheidung, klug gebraucht,
    Als ein Gewicht kann in die Waage fallen,
    Das ihm vielleicht, den Ausschlag einzuleiten,
    Sogar willkommen ist, mich nicht verweigern –
    Und, eurem Wunsch gemäß, mit meinem Namen,
    Hiemit an eure Spitze setz ich mich.
    (Sie geht und will schreiben.)
G r a f R e u ß. Fürwahr, uns lebhaft werdet Ihr verbinden!
         (Pause.)
N a t a l i e *(wendet sich wieder zu ihm).*
    Ich finde nur mein Regiment, Graf Reuß!
    Warum vermiß ich Bomsdorf Kürassiere,   1240
    Und die Dragoner Götz und Anhalt-Pleß?
G r a f R e u ß.
    Nicht, wie vielleicht Ihr sorgt, weil ihre Herzen
    Ihm lauer schlügen, als die unsrigen! –
    Es trifft ungünstig sich für die Supplik,
    Daß Kottwitz fern in Arnstein kantoniert,
    Gesondert von den andern Regimentern,
    Die hier, bei dieser Stadt, im Lager stehn.
    Dem Blatt fehlt es an Freiheit, leicht und sicher,
    Die Kraft, nach jeder Richtung zu entfalten.
N a t a l i e.
    Gleichwohl fällt, dünkt mich, so das Blatt nur leicht? – 1250

Seid Ihr gewiß, Herr Graf, wärt Ihr im Ort,
Und sprächt die Herrn, die hier versammelt sind,
Sie schlössen gleichfalls dem Gesuch sich an?

Graf Reuß.
Hier in der Stadt, mein Fräulein? – Kopf für Kopf!
Die ganze Reuterei verpfändete
Mit ihren Namen sich; bei Gott, ich glaube,
Es ließe glücklich eine Subskription,
Beim ganzen Heer der Märker, sich eröffnen!

Natalie *(nach einer Pause).*
Warum nicht schickt ihr Offiziere ab,
Die das Geschäft im Lager hier betreiben? 1260

Graf Reuß. Vergebt! – Dem weigerte der Obrist sich!
– Er wünsche, sprach er, nichts zu tun, das man
Mit einem übeln Namen taufen könnte.

Natalie.
Der wunderliche Herr! Bald kühn, bald zaghaft! –
Zum Glück trug mir der Kurfürst, fällt mir ein,
Bedrängt von anderen Geschäften, auf,
An Kottwitz, dem die Stallung dort zu eng,
Zum Marsch hierher die Order zu erlassen! –
Ich setze gleich mich nieder es zu tun.
(Sie setzt sich und schreibt.)

Graf Reuß.
Beim Himmel, trefflich, Fräulein! Ein Ereignis, 1270
Das günstger sich dem Blatt nicht treffen könnte!

Natalie *(während sie schreibt).*
Gebrauchts Herr Graf von Reuß, so gut Ihr könnt.
(Sie schließt, und siegelt, und steht wieder auf.)
Inzwischen bleibt, versteht, dies Schreiben noch,
In Eurem Portefeuille; Ihr geht nicht eher
Damit nach Arnstein ab, und gebts dem Kottwitz:
Bis ich bestimmten Auftrag Euch erteilt!
(Sie gibt ihm das Schreiben.)

Ein Heiduck *(tritt auf).*
Der Wagen, Fräulein, auf des Herrn Befehl,
Steht angeschirrt im Hof und wartet Euer!

Natalie. So fahrt ihn vor! Ich komme gleich herab!
*(Pause, in welcher sie gedankenvoll an den Tisch tritt, und
ihre Handschuh anzieht.)*
Wollt Ihr zum Prinz von Homburg mich, Herr Graf, 1280

Den ich zu sprechen willens bin, begleiten?
Euch steht ein Platz in meinem Wagen offen.
Graf Reuß. Mein Fräulein, diese Ehre, in der Tat –!
(Er bietet ihr den Arm.)
Natalie *(zu den Hofdamen).*
Folgt, meine Freundinnen! – Vielleicht daß ich
Gleich, dort des Briefes wegen, mich entscheide!
(Alle ab.)

Szene: Gefängnis des Prinzen.

DRITTER AUFTRITT

*Der Prinz von Homburg hängt seinen Hut an die Wand,
und läßt sich nachlässig auf ein, auf der Erde ausgebreitetes
Kissen nieder.*

Der Prinz von Homburg.
Das Leben nennt der Derwisch eine Reise,
Und eine kurze. Freilich! Von zwei Spannen
Diesseits der Erde nach zwei Spannen drunter.
Ich will auf halbem Weg mich niederlassen!
Wer heut sein Haupt noch auf der Schulter trägt,   1290
Hängt es schon morgen zitternd auf den Leib,
Und übermorgen liegts bei seiner Ferse.
Zwar, eine Sonne, sagt man, scheint dort auch,
Und über buntre Felder noch, als hier:
Ich glaubs; nur schade, daß das Auge modert,
Das diese Herrlichkeit erblicken soll.

VIERTER AUFTRITT

*Prinzessin Natalie tritt auf, geführt von dem Rittmeister,
Graf Reuß. Hofdamen folgen. Ihnen voran tritt ein Läufer
mit einer Fackel. – Der Prinz von Homburg.*

Läufer. Durchlaucht, Prinzessin von Oranien!
Der Prinz von Homburg *(steht auf).*
Natalie!
Läufer.   Hier ist sie selber schon.

Natalie *(verbeugt sich gegen den Grafen).*
  Laßt uns auf einen Augenblick allein!
          (Graf Reuß und der Läufer ab.)
Der Prinz von Homburg.
  Mein teures Fräulein!
Natalie.   Lieber, guter Vetter!   1300
Der Prinz von Homburg *(führt sie vor).*
  Nun sagt, was bringt Ihr? Sprecht! Wie stehts mit mir?
Natalie. Gut. Alles gut. Wie ich vorher Euch sagte,
  Begnadigt seid Ihr, frei; hier ist ein Brief,
  Von seiner Hand, der es bekräftiget.
Der Prinz von Homburg.
  Es ist nicht möglich! Nein! Es ist ein Traum!
Natalie. Lest, lest den Brief! So werdet Ihrs erfahren.
Der Prinz von Homburg *(liest).*
  »Mein Prinz von Homburg, als ich Euch gefangen setzte,
  Um Eures Angriffs, allzufrüh vollbracht,
  Da glaubt ich nichts, als meine Pflicht zu tun;
  Auf Euren eignen Beifall rechnet ich.   1310
  Meint Ihr, ein Unrecht sei Euch widerfahren,
  So bitt ich, sagts mir mit zwei Worten –
  Und gleich den Degen schick ich Euch zurück.«
  (Natalie erblaßt. Pause. Der Prinz sieht sie fragend an.)
Natalie *(mit dem Ausdruck plötzlicher Freude).*
  Nun denn, da stehts! Zwei Worte nur bedarfs –!
  O lieber süßer Freund! *(Sie drückt seine Hand.)*
Der Prinz von Homburg.
                        Mein teures Fräulein!
Natalie. O sel'ge Stunde, die mir aufgegangen! –
  Hier, nehmt, hier ist die Feder; nehmt, und schreibt!
Der Prinz von Homburg.
  Und hier die Unterschrift?
Natalie.   Das F; sein Zeichen! –
  O Bork! O freut euch doch! – O seine Milde
  Ist uferlos, ich wußt es, wie die See. –   1320
  Schafft einen Stuhl nur her, er soll gleich schreiben.
Der Prinz von Homburg.
  Er sagt, wenn ich der Meinung wäre –?
Natalie *(unterbricht ihn).*   Freilich!
  Geschwind! Setzt Euch! Ich will es Euch diktieren.
  (Sie setzt ihm einen Stuhl hin.)

Der Prinz von Homburg.
– Ich will den Brief noch einmal überlesen.
Natalie *(reißt ihm den Brief aus der Hand).*
  Wozu? – Saht Ihr die Gruft nicht schon im Münster,
  Mit offnem Rachen, Euch entgegengähn'n? –
  Der Augenblick ist dringend. Sitzt und schreibt!
Der Prinz von Homburg *(lächelnd).*
  Wahrhaftig, tut Ihr doch, als würde sie
  Mir, wie ein Panther, übern Nacken kommen.
  (Er setzt sich, und nimmt eine Feder.)
Natalie *(wendet sich und weint).*
  Schreibt, wenn Ihr mich nicht böse machen wollt!   1330
      (Der Prinz klingelt einem Bedienten; der Bediente
                    tritt auf.)
Der Prinz von Homburg.
  Papier und Feder, Wachs und Petschaft mir!
(Der Bediente nachdem er diese Sachen zusammengesucht,
      geht wieder ab. Der Prinz schreibt. – Pause.)
Der Prinz von Homburg *(indem er den Brief, den*
  er angefangen hat, zerreißt und unter den Tisch wirft).
  Ein dummer Anfang. *(Er nimmt ein anderes Blatt.)*
Natalie *(hebt den Brief auf.)*
              Wie? Was sagtet Ihr? –
  Mein Gott, das ist ja gut; das ist vortrefflich!
Der Prinz von Homburg *(in den Bart).*
  Pah! – Eines Schuftes Fassung, keines Prinzen. –
  Ich denk mir eine andre Wendung aus.
  (Pause. – Er greift nach des Kurfürsten Brief, den die
  Prinzessin in der Hand hält.)
  Was sagt er eigentlich im Briefe denn?
Natalie *(ihn verweigernd).*
  Nichts, gar nichts!
Der Prinz von Homburg.
              Gebt!
Natalie.   Ihr last ihn ja!
Der Prinz von Homburg *(erhascht ihn).*
                      Wenn gleich!
  Ich will nur sehn, wie ich mich fassen soll.
  (Er entfaltet und überliest ihn.)
Natalie *(für sich).*
  O Gott der Welt! Jetzt ists um ihn geschehn!

Der Prinz von Homburg *(betroffen).*
Sieh da! Höchst wunderbar, so wahr ich lebe!   1340
– Du übersahst die Stelle wohl?
Natalie.   Nein! – Welche?
Der Prinz von Homburg.
Mich selber ruft er zur Entscheidung auf!
Natalie. Nun, ja!
Der Prinz von Homburg.
                    Recht wacker, in der Tat, recht würdig!
Recht, wie ein großes Herz sich fassen muß!
Natalie. O seine Großmut, Freund, ist ohne Grenzen!
– Doch nun tu auch das Deine du, und schreib,
Wie ers begehrt; du siehst, es ist der Vorwand,
Die äußre Form nur, deren es bedarf:
Sobald er die zwei Wort in Händen hat,
Flugs ist der ganze Streit vorbei!
Der Prinz von Homburg *(legt den Brief weg).*
                    Nein, Liebe!   1350
Ich will die Sach bis morgen überlegen.
Natalie. Du Unbegreiflicher! Welch eine Wendung? –
Warum? Weshalb?
Der Prinz von Homburg *(erhebt sich leidenschaft-
lich vom Stuhl).*   Ich bitte, frag mich nicht!
Du hast des Briefes Inhalt nicht erwogen!
Daß er mir unrecht tat, wies mir bedingt wird,
Das kann ich ihm nicht schreiben; zwingst du mich,
Antwort, in dieser Stimmung, ihm zu geben,
Bei Gott! so setz ich hin, du tust mir recht!
*(Er läßt sich mit verschränkten Armen wieder an den Tisch
nieder und sieht in den Brief.)*
Natalie *(bleich).*
Du Rasender! Was für ein Wort sprachst du?
(Sie beugt sich gerührt über ihn.)
Der Prinz von Homburg *(drückt ihr die Hand).*
Laß, einen Augenblick! Mir scheint –
(Er sinnt.)
Natalie.   Was sagst du?   1360
Der Prinz von Homburg.
Gleich werd ich wissen, wie ich schreiben soll.
Natalie *(schmerzvoll).*
Homburg!

Der Prinz von Homburg *(nimmt die Feder).*
                    Ich hör! Was gibts?
Natalie.   Mein süßer Freund!
    Die Regung lob ich, die dein Herz ergriff.
    Das aber schwör ich dir: das Regiment
    Ist kommandiert, das dir Versenktem morgen,
    Aus Karabinern, überm Grabeshügel,
    Versöhnt die Totenfeier halten soll.
    Kannst du dem Rechtsspruch, edel wie du bist,
    Nicht widerstreben, nicht ihn aufzuheben,
    Tun, wie ers hier in diesem Brief verlangt: 1370
    Nun so versichr' ich dich, er faßt sich dir
    Erhaben, wie die Sache steht, und läßt
    Den Spruch mitleidsvoll morgen dir vollstrecken!
Der Prinz von Homburg *(schreibend).*
    Gleichviel!
Natalie. Gleichviel?
Der Prinz von Homburg.
                        Er handle, wie er darf;
    Mir ziemts hier zu verfahren, wie ich soll!
Natalie *(tritt erschrocken näher).*
    Du Ungeheuerster, ich glaub, du schriebst?
Der Prinz von Homburg *(schließt).*
    »Homburg; gegeben, Fehrbellin, am zwölften –«;
    Ich bin schon fertig. – Franz!
    (Er kuvertiert und siegelt den Brief.)
Natalie.   O Gott im Himmel!
Der Prinz von Homburg *(steht auf).*
    Bring diesen Brief aufs Schloß, zu meinem Herrn!
                    (Der Bediente ab.)
    Ich will ihm, der so würdig vor mir steht,   1380
    Nicht, ein Unwürdger, gegenüber stehn!
    Schuld ruht, bedeutende, mir auf der Brust,
    Wie ich es wohl erkenne; kann er mir
    Vergeben nur, wenn ich mit ihm drum streite,
    So mag ich nichts von seiner Gnade wissen.
Natalie *(küßt ihn).*
    Nimm diesen Kuß! – Und bohrten gleich zwölf Kugeln
    Dich jetzt in Staub, nicht halten könnt ich mich,
    Und jauchzt und weint und spräche: du gefällst mir!
    – Inzwischen, wenn du deinem Herzen folgst,

Ists mir erlaubt, dem meinigen zu folgen. 1390
– Graf Reuß!
    (Der Läufer öffnet die Tür; der Graf tritt auf.)
Graf Reuß. Hier!
Natalie.   Auf, mit Eurem Brief,
Nach Arnstein hin, zum Obersten von Kottwitz!
Das Regiment bricht auf, der Herr befiehlts;
Hier, noch vor Mitternacht, erwart ich es!
                    (Alle ab.)

FÜNFTER AKT

Szene: Saal im Schloß.

ERSTER AUFTRITT

Der Kurfürst kommt halbentkleidet aus dem Nebenkabinett;
ihm folgen Graf Truchß, Graf Hohenzollern, und der Ritt-
meister von der Golz. – Pagen mit Lichtern.

Der Kurfürst.
Kottwitz? Mit den Dragonern der Prinzessin?
Hier in der Stadt?
Graf Truchß *(öffnet das Fenster).*
                    Ja, mein erlauchter Herr!
Hier steht er vor dem Schlosse aufmarschiert.
Der Kurfürst.
Nun? – Wollt ihr mir, ihr Herrn, dies Rätsel lösen?
– Wer rief ihn her?
Hohenzollern.   Das weiß ich nicht, mein Kurfürst.
Der Kurfürst.
Der Standort, den ich ihm bestimmt, heißt Arnstein! 1400
Geschwind! Geh einer hin, und bring ihn her!
Golz. Er wird sogleich, o Herr, vor dir erscheinen!
Der Kurfürst. Wo ist er?
Golz.   Auf dem Rathaus, wie ich höre,
Wo die gesamte Generalität,
Die deinem Hause dient, versammelt ist.

Der Kurfürst.
  Weshalb? Zu welchem Zweck?
Hohenzollern.   – Das weiß ich nicht.
Graf Truchß.
  Erlaubt mein Fürst und Herr, daß wir uns gleichfalls,
  Auf einen Augenblick, dorthin verfügen?
Der Kurfürst.
  Wohin? Aufs Rathaus?
Hohenzollern.   In der Herrn Versammlung!
  Wir gaben unser Wort, uns einzufinden.   1410
Der Kurfürst *(nach einer kurzen Pause).*
  – Ihr seid entlassen!
Golz.   Kommt, ihr werten Herrn!
                  (Die Offiziere ab.)

ZWEITER AUFTRITT

Der Kurfürst. – Späterhin zwei Bediente.

Der Kurfürst.
  Seltsam! – Wenn ich der Dei von Tunis wäre,
  Schlüg ich bei so zweideutgem Vorfall, Lärm.
  Die seidne Schnur, legt ich auf meinen Tisch;
  Und vor das Tor, verrammt mit Palisaden,
  Führt ich Kanonen und Haubitzen auf.
  Doch weils Hans Kottwitz aus der Priegnitz ist,
  Der sich mir naht, willkürlich, eigenmächtig,
  So will ich mich auf märksche Weise fassen:
  Von den drei Locken, die man silberglänzig,   1420
  Auf seinem Schädel sieht, faß ich die eine,
  Und führ ihn still, mit seinen zwölf Schwadronen,
  Nach Arnstein, in sein Hauptquartier, zurück.
  Wozu die Stadt aus ihrem Schlafe wecken?
*(Nachdem er wieder einen Augenblick ans Fenster getreten,
geht er an den Tisch und klingelt; zwei Bediente treten auf.)*
Der Kurfürst.
  Spring doch herab und frag, als wärs für dich,
  Was es im Stadthaus gibt?
Erster Bedienter.   Gleich, mein Gebieter! *(Ab.)*

  1414. *Die seidne Schnur:* nach orientalischer Sitte Aufforderung an
die Rebellen, sich selbst hinzurichten.

Der Kurfürst *(zu dem andern).*
Du aber geh und bring die Kleider mir!
(Der Bediente geht und bringt sie; der Kurfürst kleidet sich
an und legt seinen fürstlichen Schmuck an.)

DRITTER AUFTRITT

Feldmarschall Dörfling tritt auf. – Die Vorigen.

Feldmarschall. Rebellion, mein Kurfürst!
Der Kurfürst *(noch im Ankleiden beschäftigt).*
                           Ruhig, ruhig! –
Es ist verhaßt mir, wie dir wohl bekannt,
In mein Gemach zu treten, ungemeldet! 1430
– Was willst du?
Feldmarschall. Herr, ein Vorfall – du vergibst!
Führt von besonderem Gewicht mich her.
Der Obrist Kottwitz rückte, unbeordert,
Hier in die Stadt; an hundert Offiziere
Sind auf dem Rittersaal um ihn versammelt;
Es geht ein Blatt in ihrem Kreis herum,
Bestimmt in deine Rechte einzugreifen.
Der Kurfürst.
Es ist mir schon bekannt! – Was wird es sein,
Als eine Regung zu des Prinzen Gunsten,
Dem das Gesetz die Kugel zuerkannte. 1440
Feldmarschall.
So ists! Beim höchsten Gott! Du hasts getroffen!
Der Kurfürst.
Nun gut! – So ist mein Herz in ihrer Mitte.
Feldmarschall.
Man sagt, sie wollten heut, die Rasenden!
Die Bittschrift noch im Schloß dir überreichen,
Und falls, mit unversöhntem Grimm, du auf
Den Spruch beharrst – kaum wag ichs dir zu melden? –
Aus seiner Haft ihn mit Gewalt befrein!
Der Kurfürst *(finster).*
Wer hat dir das gesagt?
Feldmarschall.   Wer mir das sagte?
Die Dame Retzow, der du trauen kannst,
Die Base meiner Frau! Sie war heut abend 1450

In ihres Ohms, des Drost von Retzow, Haus,
Wo Offiziere, die vom Lager kamen,
Laut diesen dreisten Anschlag äußerten.

Der Kurfürst.
Das muß ein Mann mir sagen, eh ichs glaube!
Mit meinem Stiefel, vor sein Haus gesetzt,
Schütz ich vor diesen jungen Helden ihn!

Feldmarschall.
Herr, ich beschwöre dich, wenns überall
Dein Wille ist, den Prinzen zu begnadigen:
Tus, eh ein höchstverhaßter Schritt geschehn!
Jedwedes Heer liebt, weißt du, seinen Helden;   1460
Laß diesen Funken nicht, der es durchglüht,
Ein heillos fressend Feuer um sich greifen.
Kottwitz weiß und die Schar, die er versammelt,
Noch nicht, daß dich mein treues Wort gewarnt;
Schick, eh er noch erscheint, das Schwert dem Prinzen,
Schicks ihm, wie ers zuletzt verdient, zurück:
Du gibst der Zeitung eine Großtat mehr,
Und eine Untat weniger zu melden.

Der Kurfürst.
Da müßt ich noch den Prinzen erst befragen,
Den Willkür nicht, wie dir bekannt sein wird,   1470
Gefangen nahm und nicht befreien kann. –
Ich will die Herren, wenn sie kommen, sprechen.

Feldmarschall (für sich).
Verwünscht! – Er ist jedwedem Pfeil gepanzert.

VIERTER AUFTRITT

Zwei Heiducken treten auf; der eine hält einen Brief in der Hand. – Die Vorigen.

Erster Heiduck.
Der Obrist Kottwitz, Hennings, Truchß und andre,
Erbitten sich Gehör!

Der Kurfürst *(zu dem anderen, indem er ihm den Brief aus der Hand nimmt).*   Vom Prinz von Homburg?

Zweiter Heiduck. Ja, mein erlauchter Herr!

Der Kurfürst.   Wer gab ihn dir?

1457. *überall:* nach damaligem Gebrauch im Sinne von überhaupt.

Z w e i t e r H e i d u c k.
  Der Schweizer, der am Tor die Wache hält,
  Dem ihn des Prinzen Jäger eingehändigt.
D e r K u r f ü r s t *(stellt sich an den Tisch und liest; nach-*
  dem dies geschehen ist, wendet er sich und ruft einen
  Pagen). Prittwitz! – Das Todesurteil bring mir her!
  – Und auch den Paß, für Gustav Graf von Horn,   1480
  Den schwedischen Gesandten, will ich haben!
        (Der Page ab; zu dem ersten Heiducken.)
  Kottwitz, und sein Gefolg; sie sollen kommen!

FÜNFTER AUFTRITT

Obrist Kottwitz und Obrist Hennings, Graf Truchß, Graf
Hohenzollern und Sparren, Graf Reuß, Rittmeister von der
Golz und Stranz, und andre Obristen und Offiziere treten
              auf. – Die Vorigen.

O b r i s t K o t t w i t z *(mit der Bittschrift).*
  Vergönne, mein erhabner Kurfürst, mir,
  Daß ich, im Namen des gesamten Heers,
  In Demut dies Papier dir überreiche!
D e r K u r f ü r s t. Kottwitz, bevor ichs nehme, sag mir an,
  Wer hat dich her nach dieser Stadt gerufen?
K o t t w i t z *(sieht ihn an).*
  Mit den Dragonern?
D e r K u r f ü r s t.   Mit dem Regiment! –
  Arnstein hatt ich zum Sitz dir angewiesen.
K o t t w i t z. Herr! Deine Order hat mich her gerufen. 1490
D e r K u r f ü r s t. Wie? – Zeig die Order mir.
K o t t w i t z.   Hier, mein Gebieter.
D e r K u r f ü r s t *(liest).*
  »Natalie, gegeben Fehrbellin;
  In Auftrag meines höchsten Oheims Friedrich.« –
K o t t w i t z.
  Bei Gott, mein Fürst und Herr, ich will nicht hoffen,
  Daß dir die Order fremd?
D e r K u r f ü r s t.   Nicht, nicht! Versteh mich –
  Wer ists, der dir die Order überbracht?
K o t t w i t z.
  Graf Reuß!

Der Kurfürst *(nach einer augenblicklichen Pause)*.
   Vielmehr, ich heiße dich willkommen! –
Dem Obrist Homburg, dem das Recht gesprochen,
Bist du bestimmt, mit deinen zwölf Schwadronen,
Die letzten Ehren morgen zu erweisen.   1500
Kottwitz *(erschrocken)*.
Wie, mein erlauchter Herr?!
Der Kurfürst *(indem er ihm die Order wiedergibt)*.
      Das Regiment
Steht noch in Nacht und Nebel, vor dem Schloß?
Kottwitz. Die Nacht, vergib –
Der Kurfürst.   Warum rückt es nicht ein?
Kottwitz. Mein Fürst, es rückte ein; es hat Quartiere,
Wie du befahlst, in dieser Stadt bezogen!
Der Kurfürst *(mit einer Wendung gegen das Fenster)*.
Wie? Vor zwei Augenblicken – –? Nun, beim Himmel,
So hast du Ställe rasch dir ausgemittelt! –
Um so viel besser denn! Gegrüßt noch einmal!
Was führt dich her, sag an? Was bringst du Neues? 1509
Kottwitz. Herr, diese Bittschrift deines treuen Heers.
Der Kurfürst.
Gib!
Kottwitz. Doch das Wort, das deiner Lipp entfiel,
Schlägt alle meine Hoffnungen zu Boden.
Der Kurfürst. So hebt ein Wort auch wiederum sie auf.
(Er liest.) »Bittschrift, die allerhöchste Gnad erflehend,
Für unsern Führer, peinlich angeklagt,
Den General, Prinz Friedrich Hessen-Homburg.«
(Zu den Offizieren.)
Ein edler Nam, ihr Herrn! Unwürdig nicht,
Daß ihr, in solcher Zahl, euch ihm verwendet!
(Er sieht wieder in das Blatt.)
Die Bittschrift ist verfaßt von wem?
Kottwitz.   Von mir.
Der Kurfürst.
Der Prinz ist von dem Inhalt unterrichtet? 1520
Kottwitz. Nicht auf die fernste Weis! In unsrer Mitte
Ist sie empfangen und vollendet worden.
Der Kurfürst. Gebt mir auf einen Augenblick Geduld
*(Er tritt an den Tisch und durchsieht die Schrift. – Lange
Pause.)*

Hm! Sonderbar! – Du nimmst, du alter Krieger,
Des Prinzen Tat in Schutz? Rechtfertigst ihn,
Daß er auf Wrangel stürzte, unbeordert?
K o t t w i t z.
Ja, mein erlauchter Herr; das tut der Kottwitz!
D e r K u r f ü r s t.
Der Meinung auf dem Schlachtfeld warst du nicht.
K o t t w i t z. Das hatt ich schlecht erwogen, mein Gebieter!
Dem Prinzen, der den Krieg gar wohl versteht,   1530
Hätt ich mich ruhig unterwerfen sollen.
Die Schweden wankten, auf dem linken Flügel,
Und auf dem rechten wirkten sie Sukkurs;
Hätt er auf deine Order warten wollen,
Sie faßten Posten wieder, in den Schluchten,
Und nimmermehr hättst du den Sieg erkämpft.
D e r K u r f ü r s t. So! – Das beliebt dir so vorauszusetzen!
Den Obrist Hennings hatt ich abgeschickt,
Wie dir bekannt, den schwedschen Brückenkopf,
Der Wrangels Rücken deckt, hinwegzunehmen.   1540
Wenn ihr die Order nicht gebrochen hättet,
Dem Henning wäre dieser Schlag geglückt;
Die Brücken hätt er, in zwei Stunden Frist,
In Brand gesteckt, am Rhyn sich aufgepflanzt,
Und Wrangel wäre ganz, mit Stumpf und Stiel,
In Gräben und Morast, vernichtet worden.
K o t t w i t z. Es ist der Stümper Sache, nicht die deine,
Des Schicksals höchsten Kranz erringen wollen;
Du nahmst, bis heut, noch stets, was es dir bot.
Der Drachen ward, der dir die Marken trotzig   1550
Verwüstete, mit blutgem Hirn verjagt;
Was konnte mehr, an einem Tag, geschehn?
Was liegt dir dran, ob er zwei Wochen noch
Erschöpft im Sand liegt, und die Wunde heilt?
Die Kunst jetzt lernten wir, ihn zu besiegen,
Und sind voll Lust, sie fürder noch zu üben:
Laß uns den Wrangel rüstig, Brust an Brust,
Noch einmal treffen, so vollendet sichs,
Und in die Ostsee ganz fliegt er hinab!
Rom ward an einem Tage nicht erbaut.   1560
D e r K u r f ü r s t.
Mit welchem Recht, du Tor, erhoffst du das,

Wenn auf dem Schlachtenwagen, eigenmächtig,
Mir in die Zügel jeder greifen darf?
Meinst du das Glück werd immerdar, wie jüngst,
Mit einem Kranz den Ungehorsam lohnen?
Den Sieg nicht mag ich, der, ein Kind des Zufalls,
Mir von der Bank fällt; das Gesetz will ich,
Die Mutter meiner Krone, aufrecht halten,
Die ein Geschlecht von Siegen mir erzeugt!

K o t t w i t z. Herr, das Gesetz, das höchste, oberste,   1570
Das wirken soll, in deiner Feldherrn Brust,
Das ist der Buchstab deines Willens nicht;
Das ist das Vaterland, das ist die Krone,
Das bist du selber, dessen Haupt sie trägt.
Was kümmert dich, ich bitte dich, die Regel,
Nach der der Feind sich schlägt: wenn er nur nieder
Vor dir, mit allen seinen Fahnen, sinkt?
Die Regel, die ihn schlägt, das ist die höchste!
Willst du das Heer, das glühend an dir hängt,
Zu einem Werkzeug machen, gleich dem Schwerte,   1580
Das tot in deinem goldnen Gürtel ruht?
Der ärmste Geist, der in den Sternen fremd,
Zuerst solch eine Lehre gab! Die schlechte,
Kurzsichtge Staatskunst, die, um eines Falles,
Da die Empfindung sich verderblich zeigt,
Zehn andere vergißt, im Lauf der Dinge,
Da die Empfindung einzig retten kann!
Schütt ich mein Blut dir, an dem Tag der Schlacht,
Für Sold, seis Geld, seis Ehre, in den Staub?
Behüte Gott, dazu ist es zu gut!   1590
Was! Meine Lust hab, meine Freude ich,
Frei und für mich im Stillen, unabhängig,
An deiner Trefflichkeit und Herrlichkeit,
Am Ruhm und Wachstum deines großen Namens!
Das ist der Lohn, dem sich mein Herz verkauft!
Gesetzt, um dieses unberufnen Sieges,
Brächst du dem Prinzen jetzt den Stab; und ich,
Ich träfe morgen, gleichfalls unberufen,
Den Sieg wo irgend zwischen Wald und Felsen,
Mit den Schwadronen, wie ein Schäfer, an: 1600

1566 f. *von der Bank fällt:* der Sieg als illegitimer ›Bankert‹.

Bei Gott, ein Schelm müßt ich doch sein, wenn ich
Des Prinzen Tat nicht munter wiederholte.
Und sprächst du, das Gesetzbuch in der Hand:
»Kottwitz, du hast den Kopf verwirkt!« so sagt ich:
»Das wußt ich Herr; da nimm ihn hin, hier ist er:
Als mich ein Eid an deine Krone band,
Mit Haut und Haar, nahm ich den Kopf nicht aus,
Und nichts dir gäb ich, was nicht dein gehörte!«

Der Kurfürst. Mit dir, du alter, wunderlicher Herr,
 Werd ich nicht fertig! Es besticht dein Wort   1610
 Mich, mit arglistger Rednerkunst gesetzt,
 Mich, der, du weißt, dir zugetan, und einen
 Sachwalter ruf ich mir, den Streit zu enden,
 Der meine Sache führt!
    (Er klingelt, ein Bedienter tritt auf.)
        Der Prinz von Homburg!
 Man führ aus dem Gefängnis ihn hierher!
      (Der Bediente ab.)
 Der wird dich lehren, das versichr' ich dich,
 Was Kriegszucht und Gehorsam sei! Ein Schreiben
 Schickt' er mir mindstens zu, das anders lautet,
 Als der spitzfündge Lehrbegriff der Freiheit,
 Den du hier, wie ein Knabe, mir entfaltet.   1620
 (Er stellt sich wieder an den Tisch und liest.)

Kottwitz *(erstaunt).*
 Wen holt –? Wen ruft –?

Obrist Hennings. Ihn selber?

Graf Truchß.   Nein unmöglich!
*(Die Offiziere treten unruhig zusammen und sprechen mit
      einander.)*

Der Kurfürst. Von wem ist diese zweite Zuschrift hier?

Hohenzollern.
 Von mir, mein Fürst!

Der Kurfürst *(liest).*
     »Beweis, daß Kurfürst Friedrich
 Des Prinzen Tat selbst« – – – Nun, beim Himmel!
 Das nenn ich keck!
 Was! Die Veranlassung, du wälzest sie des Frevels,
 Den er sich in der Schlacht erlaubt, auf mich?

Hohenzollern.
 Auf dich, mein Kurfürst; ja; ich, Hohenzollern!

Der Kurfürst.
  Nun denn, bei Gott, das übersteigt die Fabel!
  Der eine zeigt mir, daß nicht schuldig er,   1630
  Der andre gar mir, daß der Schuldge ich! –
  Womit wirst solchen Satz du mir beweisen?
Hohenzollern.
  Du wirst dich jener Nacht, o Herr, erinnern,
  Da wir den Prinzen, tief versenkt im Schlaf,
  Im Garten unter den Plantanen fanden:
  Vom Sieg des nächsten Tages mocht er träumen,
  Und einen Lorbeer hielt er in der Hand.
  Du, gleichsam um sein tiefstes Herz zu prüfen,
  Nahmst ihm den Kranz hinweg, die Kette schlugst du,
  Die dir vom Hals hängt, lächelnd um das Laub;   1640
  Und reichtest Kranz und Kette, so verschlungen,
  Dem Fräulein, deiner edlen Nichte, hin.
  Der Prinz steht, bei so wunderbarem Anblick,
  Errötend auf; so süße Dinge will er,
  Und von so lieber Hand gereicht, ergreifen:
  Du aber, die Prinzessin rückwärts führend,
  Entziehst dich eilig ihm; die Tür empfängt dich,
  Jungfrau und Kett und Lorbeerkranz verschwinden,
  Und einsam – einen Handschuh in der Hand,
  Den er, nicht weiß er selber, wem? entrissen –   1650
  Im Schoß der Mitternacht, bleibt er zurück.
Der Kurfürst.
  Welch einen Handschuh?
Hohenzollern.   Herr, laß mich vollenden! –
  Die Sache war ein Scherz; jedoch von welcher
  Bedeutung ihm, das lernt ich bald erkennen;
  Denn, da ich, durch des Garten hintre Pforte,
  Jetzt zu ihm schleich, als wärs von ohngefähr,
  Und ihn erweck, und er die Sinne sammelt:
  Gießt die Erinnrung Freude über ihn,
  Nichts Rührenders, fürwahr, kannst du dir denken.
  Den ganzen Vorfall, gleich, als wärs ein Traum,   1660
  Trägt er, bis auf den kleinsten Zug, mir vor;
  So lebhaft, meint' er, hab er nie geträumt –:
  Und fester Glaube baut sich in ihm auf,

1635. *Plantanen:* bei Kleist fehlerhafte, nach franz. ›plantage‹ gebil-
dete Schreibung für ›Platanen‹.

Der Himmel hab ein Zeichen ihm gegeben:
Es werde alles, was sein Geist gesehn,
Jungfrau und Lorbeerkranz und Ehrenschmuck,
Gott, an dem Tag der nächsten Schlacht, ihm schenken.
Der Kurfürst.
Hm! Sonderbar! – Und jener Handschuh –?
Hohenzollern.   Ja, –
Dies Stück des Traums, das ihm verkörpert ward,
Zerstört zugleich und kräftigt seinen Glauben.   1670
Zuerst mit großem Aug sieht er ihn an –
Weiß ist die Farb, er scheint nach Art und Bildung,
Von einer Dame Hand –: doch weil er keine
Zu Nacht, der er entnommen könnte sein,
Im Garten sprach, – durchkreuzt, in seinem Dichten,
Von mir, der zur Parol' aufs Schloß ihn ruft,
Vergißt er, was er nicht begreifen kann,
Und steckt zerstreut den Handschuh ins Kollett.
Der Kurfürst.
Nun? Drauf?
Hohenzollern.   Drauf tritt er nun mit Stift und Tafel,
Ins Schloß, aus des Feldmarschalls Mund, in frommer 1680
Aufmerksamkeit, den Schlachtbefehl zu hören;
Die Fürstin und Prinzessin, reisefertig
Befinden grad im Herrensaal sich auch.
Doch wer ermißt das ungeheure Staunen,
Das ihn ergreift, da die Prinzeß den Handschuh,
Den er sich ins Kollett gesteckt, vermißt.
Der Marschall ruft, zu wiederholten Malen:
Herr Prinz von Homburg! Was befiehlt mein Marschall?
Entgegnet er, und will die Sinne sammeln;
Doch er, von Wundern ganz umringt – –: der Donner 1690
Des Himmels hätte niederfallen können! –! (Er hält inne.)
Der Kurfürst. Wars der Prinzessin Handschuh?
Hohenzollern.   Allerdings!
            (Der Kurfürst fällt in Gedanken.)
Hohenzollern (fährt fort).
Ein Stein ist er, den Bleistift in der Hand,
Steht er zwar da und scheint ein Lebender;
Doch die Empfindung, wie durch Zauberschläge,
In ihm verlöscht; und erst am andern Morgen,
Da das Geschütz schon in den Reihen donnert,

Kehrt er ins Dasein wieder und befragt mich:
Liebster, was hat schon Dörfling, sag mirs, gestern
Beim Schlachtbefehl, mich treffend, vorgebracht?   1700

Feldmarschall.

Herr, die Erzählung, wahrlich, unterschreib ich!
Der Prinz, erinnr' ich mich, von meiner Rede
Vernahm kein Wort; zerstreut sah ich ihn oft,
Jedoch in solchem Grad abwesend ganz
Aus seiner Brust, noch nie, als diesen Tag.

Der Kurfürst.

Und nun, wenn ich dich anders recht verstehe,
Türmst du, wie folgt, ein Schlußgebäu mir auf:
Hätt ich, mit dieses jungen Träumers Zustand,
Zweideutig nicht gescherzt, so blieb er schuldlos:
Bei der Parole wär er nicht zerstreut,   1710
Nicht widerspenstig in der Schlacht gewesen.
Nicht? Nicht? Das ist die Meinung?

Hohenzollern.   Mein Gebieter,

Das überlaß ich jetzt dir, zu ergänzen.

Der Kurfürst.

Tor, der du bist, Blödsinniger! hättest du
Nicht in den Garten mich herabgerufen,
So hätt ich, einem Trieb der Neugier folgend,
Mit diesem Träumer harmlos nicht gescherzt.
Mithin behaupt ich, ganz mit gleichem Recht,
Der sein Versehn veranlaßt hat, warst du! –
Die delphsche Weisheit meiner Offiziere!   1720

Hohenzollern.

Es ist genug, mein Kurfürst! Ich bin sicher,
Mein Wort fiel, ein Gewicht, in deine Brust!

SECHSTER AUFTRITT

Ein Offizier tritt auf. – Die Vorigen.

Der Offizier.

Der Prinz, o Herr, wird augenblicks erscheinen!

Der Kurfürst. Wohlan! Laßt ihn herein.

Offizier.   In zwei Minuten! –

Er ließ nur flüchtig, im Vorübergehn,
Durch einen Pförtner sich den Kirchhof öffnen.

Der Kurfürst.
  Den Kirchhof?
Offizier.   Ja mein Fürst und Herr!
Der Kurfürst.   Weshalb?
Offizier. Die Wahrheit zu gestehn, ich weiß es nicht;
  Es schien das Grabgewölb wünscht' er zu sehen,
  Das dein Gebot ihm dort eröffnen ließ.   1730
(Die Obersten treten zusammen und sprechen miteinander.)
Der Kurfürst.
  Gleichviel! Sobald er kömmt, laßt ihn herein.
  (Er tritt wieder an den Tisch und sieht in die Papiere.)
Graf Truchß.
  Da führt die Wache schon den Prinzen her.

SIEBENTER AUFTRITT

*Der Prinz von Homburg tritt auf. Ein Offizier mit Wache.
Die Vorigen.*

Der Kurfürst.
  Mein junger Prinz, Euch ruf ich mir zu Hülfe!
  Der Obrist Kottwitz bringt, zu Gunsten Eurer,
  Mir dieses Blatt hier, schaut, in langer Reihe
  Von hundert Edelleuten unterzeichnet;
  Das Heer begehre, heißt es, Eure Freiheit,
  Und billige den Spruch des Kriegsrechts nicht. –
  Lest, bitt ich, selbst, und unterrichtet Euch!
  (Er gibt ihm das Blatt.)
Der Prinz von Homburg *(nachdem er einen Blick
  hineingetan, wendet sich, und sieht sich im Kreis der Offi-
  ziere um)*. Kottwitz, gib deine Hand mir, alter Freund!
  Du tust mir mehr, als ich, am Tag der Schlacht,   1741
  Um dich verdient! Doch jetzt geschwind geh hin
  Nach Arnstein wiederum, von wo du kamst,
  Und rühr dich nicht; ich habs mir überlegt,
  Ich will den Tod, der mir erkannt, erdulden!
  (Er übergibt ihm die Schrift.)
Kottwitz *(betroffen)*.
  Nein, nimmermehr, mein Prinz! Was sprichst du da?
Hohenzollern.
  Er will den Tod –?

Graf Truchß.   Er soll und darf nicht sterben!
Mehrere Offiziere *(vordringend).*
    Mein Herr und Kurfürst! Mein Gebieter! Hör uns!
Der Prinz von Homburg.
    Ruhig! Es ist mein unbeugsamer Wille!
    Ich will das heilige Gesetz des Kriegs,   1750
    Das ich verletzt', im Angesicht des Heers,
    Durch einen freien Tod verherrlichen!
    Was kann der Sieg euch, meine Brüder, gelten,
    Der eine, dürftige, den ich vielleicht
    Dem Wrangel noch entreiße, dem Triumph
    Verglichen, über den verderblichsten
    Der Feind' in uns, den Trotz, den Übermut,
    Errungen glorreich morgen? Es erliege
    Der Fremdling, der uns unterjochen will,
    Und frei, auf mütterlichem Grund, behaupte   1760
    Der Brandenburger sich; denn sein ist er,
    Und seiner Fluren Pracht nur ihm erbaut!
Kottwitz *(gerührt).*
    Mein Sohn! Mein liebster Freund! Wie nenn ich dich?
Graf Truchß. O Gott der Welt!
Kottwitz.   Laß deine Hand mich küssen!
       (Sie drängen sich um ihn.)
Der Prinz von Homburg *(wendet sich zum Kurfürsten).* Doch dir, mein Fürst, der einen süßern Namen
    Dereinst mir führte, leider jetzt verscherzt:
    Dir leg ich tiefbewegt zu Füßen mich!
    Vergib, wenn ich am Tage der Entscheidung,
    Mit übereiltem Eifer dir gedient:
    Der Tod wäscht jetzt von jeder Schuld mich rein.   1770
    Laß meinem Herzen, das versöhnt und heiter
    Sich deinem Rechtsspruch unterwirft, den Trost,
    Daß deine Brust auch jedem Groll entsagt:
    Und in der Abschiedsstunde, des zum Zeichen,
    Bewillge huldreich eine Gnade mir!
Der Kurfürst.
    Sprich, junger Held! Was ists, das du begehrst?
    Mein Wort verpfänd ich dir und Ritterehre,
    Was es auch sei, es ist dir zugestanden!
Der Prinz von Homburg.
    Erkauf o Herr, mit deiner Nichte Hand,

Von Gustav Karl den Frieden nicht! Hinweg   1780
Mit diesem Unterhändler aus dem Lager,
Der solchen Antrag ehrlos dir gemacht:
Mit Kettenkugeln schreib die Antwort ihm!
Der Kurfürst *(küßt seine Stirn).*
  Seis, wie du sagst! Mit diesem Kuß, mein Sohn,
  Bewillg' ich diese letzte Bitte dir!
  Was auch bedarf es dieses Opfers noch,
  Vom Mißglück nur des Kriegs mir abgerungen;
  Blüht doch aus jedem Wort, das du gesprochen,
  Jetzt mir ein Sieg auf, der zu Staub ihn malmt!
  Prinz Homburgs Braut sei sie, werd ich ihm schreiben, 1790
  Der Fehrbellins halb, dem Gesetz verfiel,
  Und seinem Geist, tot vor den Fahnen schreitend,
  Kämpf er auf dem Gefild der Schlacht, sie ab!
  (Er küßt ihn noch einmal und erhebt ihn.)
Der Prinz von Homburg.
  Nun sieh, jetzt schenktest du das Leben mir!
  Nun fleh ich jeden Segen dir herab,
  Den, von dem Thron der Wolken, Seraphin
  Auf Heldenhäupter jauchzend niederschütten:
  Geh und bekrieg, o Herr, und überwinde
  Den Weltkreis, der dir trotzt – denn du bists wert!
Der Kurfürst.
  Wache! Führt ihn zurück in sein Gefängnis!   1800

ACHTER AUFTRITT

*Natalie und die Kurfürstin zeigen sich unter der Tür. Hof-
damen folgen. – Die Vorigen.*

Natalie. O Mutter, laß! Was sprichst du mir von Sitte?
  Die höchst' in solcher Stund, ist ihn zu lieben!
  – Mein teurer, unglücksel'ger Freund!
Der Prinz von Homburg *(bricht auf).*   Hinweg!
Graf Truchß *(hält ihn).*
  Nein nimmermehr, mein Prinz!
    (Mehrere Offiziere treten ihm in den Weg.)
Der Prinz von Homburg.   Führt mich hinweg!
Hohenzollern.
  Mein Kurfürst, kann dein Herz –?

Der Prinz von Homburg *(reißt sich los).*
                                  Tyrannen, wollt ihr
Hinaus an Ketten mich zum Richtplatz schleifen?
Fort! – Mit der Welt schloß ich die Rechnung ab!
                    (Ab, mit Wache.)
Natalie *(indem sie sich an die Brust der Tante legt).*
O Erde, nimm in deinen Schoß mich auf!
Wozu das Licht der Sonne länger schaun?

NEUNTER AUFTRITT

Die Vorigen ohne den Prinzen von Homburg.

Feldmarschall.
O Gott der Welt! Mußt es bis dahin kommen!   1810
(Der Kurfürst spricht heimlich und angelegentlich mit einem
                    Offizier.)
Kottwitz *(kalt).*
Mein Fürst und Herr, nach dem, was vorgefallen,
Sind wir entlassen?
Der Kurfürst.   Nein! zur Stund noch nicht!
Dir sag ichs an, wenn du mich entlassen bist!
*(Er fixiert ihn eine Weile mit den Augen; alsdann nimmt
er die Papiere, die ihm der Page gebracht hat, vom Tisch,
und wendet sich damit zum Feldmarschall.)*
Hier, diesen Paß dem schwedschen Grafen Horn!
Es wär des Prinzen, meines Vetters Bitte,
Die ich verpflichtet wäre zu erfüllen;
Der Krieg heb, in drei Tagen, wieder an!
(Pause. – Er wirft einen Blick in das Todesurteil.)
Ja, urteilt selbst, ihr Herrn! Der Prinz von Homburg
Hat im verfloßnen Jahr, durch Trotz und Leichtsinn,
Um zwei der schönsten Siege mich gebracht;   1820
Den dritten auch hat er mir schwer gekränkt.
Die Schule dieser Tage durchgegangen,
Wollt ihrs zum vierten Male mit ihm wagen?
Kottwitz und Truchß *(durcheinander).*
Wie, mein vergöttert – angebeteter –?
Der Kurfürst.
Wollt ihr? Wollt ihr?
Kottwitz.   Bei dem lebendgen Gott,

Du könntest an Verderbens Abgrund stehn,
Daß er, um dir zu helfen, dich zu retten,
Auch nicht das Schwert mehr zückte, ungerufen!
Der Kurfürst *(zerreißt das Todesurteil).*
So folgt, ihr Freunde, in den Garten mir!
                         (Alle ab.)

Szene: Schloß, mit der Rampe, die in den Garten hinab-
          führt; wie im ersten Akt. – Es ist wieder Nacht.

                    ZEHNTER AUFTRITT

*Der Prinz von Homburg wird vom Rittmeister Stranz mit
verbundenen Augen durch das untere Gartengitter aufgeführt. Offiziere mit Wache. – In der Ferne hört man Trom-
              meln des Totenmarsches.*

Der Prinz von Homburg.
  Nun, o Unsterblichkeit, bist du ganz mein!   1830
  Du strahlst mir, durch die Binde meiner Augen,
  Mir Glanz der tausendfachen Sonne zu!
  Es wachsen Flügel mir an beiden Schultern,
  Durch stille Ätherräume schwingt mein Geist;
  Und wie ein Schiff, vom Hauch des Winds entführt,
  Die muntre Hafenstadt versinken sieht,
  So geht mir dämmernd alles Leben unter:
  Jetzt unterscheid ich Farben noch und Formen,
  Und jetzt liegt Nebel alles unter mir.
*(Der Prinz setzt sich auf die Bank, die in der Mitte des
Platzes, um die Eiche aufgeschlagen ist; der Rittmeister
Stranz entfernt sich von ihm, und sieht nach der Rampe
                        hinauf.)*
Der Prinz von Homburg.
  Ach, wie die Nachtviole lieblich duftet!   1840
  – Spürst du es nicht?
          (Stranz kommt wieder zu ihm zurück.)
Stranz.   Es sind Levkojn und Nelken.
Der Prinz von Homburg.
  Levkojn? – Wie kommen die hierher?
Stranz.   Ich weiß nicht. –

Es scheint, ein Mädchen hat sie hier gepflanzt.
– Kann ich dir eine Nelke reichen?
Der Prinz von Homburg.   Lieber! –
Ich will zu Hause sie in Wasser setzen.

EILFTER AUFTRITT

*Der Kurfürst mit dem Lorbeerkranz, um welchen die goldne
Kette geschlungen ist, Kurfürstin, Prinzessin Natalie, Feldmarschall Dörfling, Obrist Kottwitz, Hohenzollern, Golz
usw., Hofdamen, Offiziere und Fackeln erscheinen auf der
Rampe des Schlosses. – Hohenzollern tritt, mit einem Tuch,
an das Geländer und winkt dem Rittmeister Stranz; worauf
dieser den Prinzen von Homburg verläßt, und im Hinter-
grund mit der Wache spricht.*

Der Prinz von Homburg.
Lieber, was für ein Glanz verbreitet sich?
Stranz *(kehrt zu ihm zurück).*
Mein Prinz, willst du gefällig dich erheben?
Der Prinz von Homburg.
Was gibt es?
Stranz.   Nichts, das dich erschrecken dürfte! –
Die Augen bloß will ich dir wieder öffnen.
Der Prinz von Homburg.
Schlug meiner Leiden letzte Stunde?
Stranz.   Ja! –   1850
Heil dir und Segen, denn du bist es wert!
*(Der Kurfürst gibt den Kranz, an welchem die Kette hängt,
der Prinzessin, nimmt sie bei der Hand und führt sie die
Rampe herab. Herren und Damen folgen. Die Prinzessin
tritt, umgeben von Fackeln, vor den Prinzen, welcher er-
staunt aufsteht; setzt ihm den Kranz auf, hängt ihm die
Kette um, und drückt seine Hand an ihr Herz. Der Prinz
fällt in Ohnmacht.)*
Natalie. Himmel! die Freude tötet ihn!
Hohenzollern *(faßt ihn auf).*   Zu Hülfe!
Der Kurfürst. Laßt den Kanonendonner ihn erwecken!
(Kanonenschüsse. Ein Marsch. Das Schloß erleuchtet sich.)
Kottwitz.
Heil, Heil dem Prinz von Homburg!

Die Offiziere.   Heil! Heil! Heil!

Alle. Dem Sieger in der Schlacht bei Fehrbellin!

(Augenblickliches Stillschweigen.)

Der Prinz von Homburg.

Nein, sagt! Ist es ein Traum?

Kottwitz.   Ein Traum, was sonst?

Mehrere Offiziere.

Ins Feld! Ins Feld!

Graf Truchß.   Zur Schlacht!

Feldmarschall.   Zum Sieg! Zum Sieg!

Alle. In Staub mit allen Feinden Brandenburgs!

(Ende.)

NACHWORT

Die Freunde schildern Kleist als »scheu und schroff, doch bieder, wahr und aufrichtig, aber wechselnden und zweifelvollen Stimmungen unterworfen, ... von mittler Größe und ziemlich starken Gliedern, ernst und schweigsam, keine Spur von vordringender Eitelkeit, aber viele Merkmale eines würdigen Stolzes in seinem Betragen« (Tieck). »... eine sehr eigentümliche, ein wenig verdrehte Natur, wie sie fast immer der Fall, wo sich Talent aus der alten preußischen Mondierung durcharbeitete ... er ist der unbefangenste, fast zynische Mensch, der mir lange begegnet, hat eine gewisse Unbestimmtheit in der Rede, die sich dem Stammern nähert und in seinen Arbeiten durch stetes Ausstreichen und Abändern sich äußert, er lebt sehr wunderlich, oft ganze Tage im Bette, um da ungestörter bei der Tabakspfeife zu arbeiten« (Arnim). »... ein untersetzter Zweiunddreißiger, mit einem erlebten runden stumpfen Kopf, gemischt launigt, kindergut, arm und fest« (Brentano). Kleist kommt aus einer berühmten preußischen Offiziersfamilie. Er war Autodidakt.

Aus der ersten Ehe des Vaters, des Majors Joachim Friedrich von Kleist, stammen die Stiefschwestern Wilhelmine und Ulrike, aus der zweiten drei Schwestern, Heinrich und der Bruder Leopold. Bernd Heinrich Wilhelm wurde am 18. Oktober (er selbst gibt den 10. an) 1777 in Frankfurt an der Oder geboren. Er war, nach einer späteren Erzählung des Hauslehrers Chr. E. Martini, »ein nicht zu dämpfender Feuergeist, der Exaltation selbst bei Geringfügigkeiten anheimfallend ... kurz, der offenste und fleißigste Kopf von der Welt, dabei aber auch anspruchslos«. Nach dem Tod des Vaters, 1788, wurde er dem Prediger S. H. Catel in Berlin in Pension gegeben. Von 1792 an avanciert er beim Regiment Garde in Potsdam vom Korporal-Gefreiten zum Secondelieutenant. 1793 stirbt die Mutter, 1793 bis 1795 nimmt Kleist am Rheinfeldzug gegen das französische Revolutionsheer teil. Er schließt mit O. A. Rühle von Lilienstern und Ernst von Pfuel, zwei gleich ihm vielseitig aufgeschlossenen jungen Offizieren, Freundschaft. Er ist musikalisch, besonders die Klarinette soll er gut geblasen haben. Einmal unternahmen er und Rühle mit zwei anderen Kameraden eine Wanderung in den Harz, während der sie in den Dörfern als Musikanten auftraten. Neben dem Dienst treibt er mathematische, philosophische und altsprachliche Privatstudien. 1799 gewährt der König »der Vollendung seiner Studia wegen« ihm den erbetenen Abschied aus dem verhaßten Soldatenstand.

Mit dem Austritt aus der durch die Familientradition vorgezeichneten Laufbahn beginnt Kleists eigentümliche, an irrationalen Ereignissen und Wendungen so reiche Biographie. Er studiert an der Heimatuniversität in Frankfurt, hört vor allem Naturwissenschaften und verlobt sich mit der Nachbarstochter Wilhelmine von Zenge, der er dann die seltsamsten Briefe schreibt, die wohl je an eine Braut geschrieben worden sind. Die Forderung nach Vertrauen und Liebe kehrt immer wieder. »Vergiß nicht, liebes Mädchen, was Du mir versprochen hast, unwandelbares Vertrauen in meine Liebe zu Dir . . .« Doch sogleich zweifelt er selbst: »Aber der Gedanke – Du bist doch nur ein schwaches Mädchen, meine unerklärliche Reise . . .« – Im Jahre 1800 bereitet Kleist sich in Berlin auf den Staatsdienst vor und unternimmt mit Ludwig von Brockes eine rätselhafte Reise nach Würzburg. Es scheint, daß in ihm während oder sogleich nach dieser Reise die erste Ahnung seiner Bestimmung zum Dichter wach wurde. Die Familie hatte schon früher gefragt, welche ›Brotwissenschaft‹ er ergreifen wolle, denn »daß dies meine Absicht sein müsse, fiel niemandem ein zu bezweifeln«. Nun aber schreibt Kleist: »Ich fühle mich zu ungeschickt, mir ein Amt zu erwerben, zu ungeschickt, es zu führen, und am Ende verachte ich den ganzen Bettel von Glück, zu dem es führt.« Und, ebenfalls an Ulrike: »Ich habe mich durchaus daran gewöhnt, eignen Zwecken zu folgen, und dagegen von der Befolgung fremder Zwecke ganz und gar entwöhnt.« Kleist denkt daran, die Kantische Philosophie in Frankreich einzuführen.

In den März 1801 fällt ein Ereignis, das mit einem Schlage die ganze innere und äußere Situation Kleists erhellt, die sogenannte Kant-Krise. »Vor kurzem ward ich mit der neueren sogenannten Kantischen Philosophie bekannt – und Dir

muß ich jetzt daraus einen Gedanken mitteilen, indem ich
nicht fürchten darf, daß er Dich so tief, so schmerzhaft er-
schüttern wird als mich... Wenn alle Menschen statt der
Augen grüne Gläser hätten, so würden sie urteilen müssen,
die Gegenstände, welche sie dadurch erblicken, *sind* grün –
und nie würden sie entscheiden können, ob ihr Auge ihnen
die Dinge zeigt, wie sie sind, oder ob es nicht etwas zu ihnen
hinzutut, was nicht ihnen, sondern dem Auge gehört. So ist
es mit dem Verstande. Wir können nicht entscheiden, ob das,
was wir Wahrheit nennen, wahrhaft Wahrheit ist, oder ob
es uns nur so scheint. Ist das letzte, so ist die Wahrheit, die
wir hier sammeln, nach dem Tode nicht mehr – und alles Be-
streben, ein Eigentum sich zu erwerben, das uns auch in das
Grab folgt, ist vergeblich –« (an Wilhelmine, 22. März 1801).
Wahrheit – Wahrheit bedeutet für Kleist in seiner Lage: er
findet nicht zu einer wahren, innigen Gemeinschaft mit der
Braut, die Familie versteht ihn nicht, der Anspruch seines
Innern ist mit der Umwelt unvereinbar – den absolut ge-
wissen Einklang mit dem Du, wie überhaupt mit dem Anderen außer ihm. Voraussetzung ist, daß auch jedes für sich
ganz wahr ist. Man nennt heute Kleist einen Realisten und
stellt ihn seines Realismus wegen oft über, wenigstens aber
neben Goethe und Schiller, als die ›Idealisten‹, und die ›Ro-
mantiker‹. Diese Begriffe verwirren nur. Man meint dabei
wohl etwas, das wir als Verlorensein an oder besser in die
Bindungen, die zu jedem Menschenleben gehören, begreifen
müssen. Für Kleist gibt es keine Möglichkeit, sich außer oder
über etwas, das er als wirklich erlebt, zu stellen. Der sich
gerade erst vollendende Idealismus ist für ihn bereits tot.
Die Ansprüche seiner Familie und der Freunde an ihn, seine
Forderungen gegen die Um- und Mitwelt, die unaufhebbare
Bindung an das Vaterland als den realen Grund der Existenz des einzelnen, das Ringen um Anerkennung und auch
der verzweifelte, Jahre während Kampf gegen die äußerste
wirtschaftliche Not sind nicht etwas, dem sich der Mensch
entgegenstellen kann, so daß in dialektischer Auseinander-
setzung Lösung, Sieg und Freiheit möglich sind, sondern der
Mensch bleibt rettungslos in das Gegebene hineinkettet.
Dabei weiß er aber – Ergebnis des Idealismus – um seine
Würde und Freiheit. Da Kleist die idealistische Lösung als
ungenügend erlebte, denn die Tragik ist eben nicht aufheb-

bar, gibt es für ihn keine getragene, sich tragende, ihn tragende Ordnung, die ihn das Notwendige fühlen und erkennen läßt, so daß er es dann tun kann. Er hat von Anfang an ein gestörtes Verhältnis zum Du, zu allem Nicht-Ich. Und so sieht er als Aufgabe vor sich, den Weg zum Du zu finden, oder, wenn es keinen Weg zum Du gibt, eine andere Möglichkeit, zu leben, frei zu werden. Wir stehen hier vor den entscheidenden Dingen, die sich bei der Interpretation der Gedichte Kleists herausstellen und die sein Leben erklären.

Kleist fährt im April 1801 mit Ulrike über Dresden und Leipzig nach Paris, lebt 1801/02 in der Schweiz, lange auf einer kleinen Insel im Thuner See, befreundet mit Heinrich Zschokke, Heinrich Geßner und Ludwig Wieland, arbeitet die *Familie Schroffenstein* aus, schreibt am *Zerbrochnen Krug* und *Robert Guiskard*, und wahrscheinlich fällt auch die Konzeption mehrerer weiterer Werke in diese Zeit. Die Verlobung mit Wilhelmine zerbricht, da sie vor Kleists Plan, sich als Bauer in der Schweiz anzusiedeln, verzagt. Im folgenden Winter ist Kleist Gast des alten Wieland, dem er Teile des *Guiskard* vorträgt und der später urteilt: »Ich glaube nicht zuviel zu sagen, wenn ich Sie versichere: Wenn die Geister des Äschylus, Sophokles und Shakespeare sich vereinigten, eine Tragödie zu schaffen, so würde das sein, was Kleists Tod Guiskards des Normanns, sofern das Ganze demjenigen entspräche, was er mich damals hören ließ.«

Im Frühjahr 1803 erscheint ohne Verfasserangabe die *Familie Schroffenstein* und wird ziemlich bekannt, einige zustimmende, sogar begeisterte Rezensionen folgen. Kleist müht sich, wieder in Dresden und Leipzig, um die Vollendung des *Guiskard*; Pfuel, der hofft, dadurch dem Freund zu helfen, schlägt eine Reise nach der Schweiz, Oberitalien und Frankreich vor. Im Oktober 1803, in Paris, vernichtet Kleist das unfertige Manuskript. Er schreibt erschütternde Briefe an Ulrike: »Ich habe nun ein Halbtausend Briefe hintereinander folgender Tage, die Nächte der meisten mit eingerechnet, an den Versuch gesetzt, zu so vielen Kränzen noch einen auf unsere Familie herabzuringen ... Ich trete vor einem zurück, der noch nicht da ist, und beuge mich, ein Jahrtausend im voraus, vor seinem Geiste. Denn in der Reihe der menschlichen Erfindungen ist diejenige, die ich gedacht habe, unfehlbar ein Glied, und es wächst irgendwo ein

Stein schon für den, der sie einst ausspricht.« Und: »Was ich Dir schreiben werde, kann Dir vielleicht das Leben kosten; aber ich muß, ich muß, ich *muß* es vollbringen. Ich habe in Paris mein Werk, soweit es fertig war, durchlesen, verworfen, und verbrannt: und nun ist es aus. Der Himmel versagt mir das Ruhm, das größte der Güter der Erde; ich werde ihm, wie ein eigensinniges Kind, alle übrigen hin. Ich *kann* mich Deiner Freundschaft nicht würdig zeigen, ich kann ohne diese Freundschaft doch nicht *leben*: ich stürze mich in den Tod. Sei ruhig, Du Erhabene, ich werde den schönen Tod der Schlachten sterben. Ich habe die Hauptstadt dieses Landes verlassen, ich bin an seine Nordküste gewandert, ich werde französische Kriegsdienste nehmen, das Heer wird bald nach England hinüberrudern, unser aller Verderben lauert über den Meeren, ich frohlocke bei der Aussicht auf das unendlich prächtige Grab.« Auf der Rückreise aus Frankreich bricht Kleist in Mainz zusammen und ist sechs Monate krank und verschollen. 1804, in Berlin, tritt er unter Finanzminister von Altenstein in den Staatsdienst ein, geht dann bis Anfang 1807 als Diätar an der Domänenkammer nach Königsberg. *Amphitryon, Marquise von O., Das Erdbeben in Chili,* der Aufsatz *Über die allmähliche Verfertigung der Gedanken beim Reden* entstehen, *Penthesilea* und *Michael Kohlhaas* werden begonnen.

Im Kriege 1806/07 bricht Preußen zusammen. Kleist am 24. Oktober 1806 an Ulrike: »Nur ein sehr kleiner Teil der Menschen begreift, was für ein Verderben es ist, unter seine [Napoleons] Herrschaft zu kommen. Wir sind die unterjochten Völker der Römer.« Zunächst ist es allerdings wohl noch das Gefühl des allgemeinen Unglücks, das den Dichter bedrückt, dem das auch allgemeine nun erwachende nationale Bewußtsein entgegentritt. Es muß angenommen werden, daß Kleist enge Beziehungen zu den Königsberger Reformern um den Freiherrn vom Stein und Gneisenau hatte. Im Sommer 1807 wird er auf der Wanderung nach Dresden bei Berlin von den Franzosen als Spion, aber grundlos, verhaftet und ein halbes Jahr in Frankreich in Fort Joux und Châlons-sur-Marne, anfangs unter unwürdigsten Bedingungen, gefangengehalten. Immerhin kann er, in Châlons, arbeiten *(Penthesilea).* Inzwischen erscheinen der *Amphitryon* und das *Erdbeben.* Vom Juli 1807 bis April 1809 wieder in

Dresden, im Kreise seiner Freunde; es ist Kleists glücklichste
Zeit. Er gibt zusammen mit dem romantischen Staatswissen-
schaftler Adam Müller den *Phöbus, ein Journal für die
Kunst* heraus, den sie fast ganz mit eigenen Werken füllen.
In ihm erscheinen im Laufe des Jahres 1808 *Die Marquise
von O.*, das wiederhergestellte *Guiskard-Fragment*, »organi-
sche Fragmente« aus *Penthesilea*, dem *Zerbrochnen Krug*,
Käthchen von Heilbronn, *Michael Kohlhaas*. Cotta druckt
die *Penthesilea*, Goethe bringt den *Zerbrochnen Krug*, auf
drei lange Akte zerdehnt, mit dem entsprechenden Mißerfolg auf die Bühne. Kleists Stellung zu Goethe ist zwie-
spältig. Er verehrt ihn aufs höchste; bekannt ist der Satz:
»Es ist auf den Knien meines Herzens, daß ich damit *[Pen-
thesilea]* vor Ihnen erscheine ...« (am 24. Januar 1808). Und
er beneidet und, später, haßt ihn. Nach Pfuel (schon 1803)
gab es nur ein Ziel für Kleist: der größte Dichter seiner Nation zu werden, und auch Goethe werde ihn daran nicht
hindern: »Ich werde ihm den Kranz von der Stirne reißen.«
Goethe hingegen weist Kleist ab, berechtigt: Es gehöre »ein
großer Geist des Widerspruchs dazu, um einen so einzelnen
Fall *[Kohlhaas]* mit so durchgeführter, gründlicher Hypo-
chondrie im Weltlaufe geltend zu machen«. Es gebe »ein Un-
schönes in der Natur, ein Beängstigendes ...« Die Tragödie
(Penthesilea) grenze »in einigen Stellen völlig an das Hoch-
komische, z. B. wo die Amazone mit einer Brust auf dem
Theater erscheint und das Publikum versichert, daß alle ihre
Gefühle sich in die zweite, noch übriggebliebene Hälfte ge-
flüchtet hätten ...« In Ansehung Kleists aber bitter ver-
letzend und mit den unglücklichsten Folgen: »Mit der Penthesilea kann ich mich noch nicht befreunden ... Auch er-
lauben Sie mir zu sagen (denn wenn man nicht aufrichtig
sein sollte, so wäre es besser, man schwiege gar), daß es mich
immer betrübt und bekümmert, wenn ich junge Männer von
Geist und Talent sehe, die auf ein Theater warten, welches
da kommen soll. Ein Jude, der auf den Messias, ein Christ,
der aufs neue Jerusalem, und ein Portugiese, der auf den
Don Sebastian wartet, machen mir kein größeres Mißbeha-
gen. Vor jedem Brettergerüste möchte ich dem wahrhaft
theatralischen Genie sagen: hic Rhodus, hic salta!« — Nach
der Aufführung des *Zerbrochnen Kruges* soll Kleist Goethe
eine Forderung geschickt haben.

Der *Phöbus* scheitert. Kleists eigenes Schicksal fließt für ihn immer mehr mit dem der Nation zusammen, die von Napoleon, dem Urbösen, in ihrer politischen und moralisch-metaphysischen Existenz bedroht ist. Die *Hermannsschlacht* geht heimlich von Hand zu Hand, »einzig und allein auf diesen Augenblick berechnet« (an Collin, 20. April 1809). Österreich erhebt sich, Kleist eilt mit Fr. Chr. Dahlmann nach Böhmen, sie planen in Prag ein politisches Wochenblatt *Germania.* »Unser Vorsatz war, von Böhmen aus nach allen Kräften dahin zu wirken, daß aus dem österreichischen Kriege ein deutscher werde« (Dahlmann). Kleist bricht nach der Niederlage Österreichs abermals zusammen. Seine Freunde halten ihn für tot.

Die beiden letzten Jahre seines Lebens finden ihn noch einmal in Berlin. Sie werden verdunkelt durch das allgemeine Elend und durch den Niedergang der von Kleist herausgegebenen, anfangs sehr erfolgreichen *Berliner Abendblätter,* die der letzte Versuch sind, sich ein dürftiges Einkommen zu schaffen. Kleist verkehrt in literarischen, gesellschaftlichen und vaterländischen Kreisen, mit Arnim, Brentano, Fouqué, Rahel Varnhagen u. a. Er schreibt oder vollendet den *Prinzen von Homburg, Kohlhaas, Das Bettelweib von Locarno, Die heilige Cäcilie,* die Anekdoten, den Aufsatz *Über das Marionettentheater.* Die Novellen, *Das Käthchen von Heilbronn, Der zerbrochne Krug* erscheinen gedruckt. Anerkennung, wenn auch nicht ganz uneingeschränkte, vor allem von den Romantikern, und die zu großer Innigkeit ausreifende Freundschaft mit seiner sechzehn Jahre älteren Cousine, der bedeutenden Marie von Kleist, die sich für den Dichter beim Hof einsetzt, halten den endgültigen Untergang nicht mehr auf. Am 21. November 1811 am Wannsee erschießt Kleist die krebskranke Henriette Vogel und sich. Eine Einladung Dahlmanns, zu ihm nach Kiel zu ziehen, erreichte ihn nicht.

Einige Sätze aus Kleists letzten Briefen sagen, auch als Bruchstücke, mehr als alle Erklärungen:

»Das Leben, das ich führe, ist seit Ihrer und A. Müllers Abreise gar zu öde und traurig ...« (August 1811).

»... es ist mir ganz stumpf und dumpf vor der Seele, und es ist auch nicht ein einziger Lichtpunkt in der Zukunft, auf den ich mit einiger Freudigkeit und Hoffnung hinaussähe ... Wirklich, es ist sonderbar, wie mir in dieser Zeit alles, was ich unternehme, zugrunde geht; wie sich mir immer, wenn ich mich einmal entschließen kann, einen festen Schritt zu tun, der Boden unter meinen Füßen entzieht« (Oktober 1811).

»Deine Briefe haben mir das Herz zerspalten, meine teuerste Marie, und wenn es in meiner Macht gewesen wäre, so versichre ich Dich, ich würde den Entschluß zu sterben, den ich gefaßt habe, wieder aufgegeben haben. Aber ich schwöre Dir, es ist mir ganz unmöglich, länger zu leben; meine Seele ist so wund, daß mir, ich möchte fast sagen, wenn ich die Nase aus dem Fenster stecke, das Tageslicht wehe tut, das mir darauf schimmert. Das wird mancher für Krankheit und überspannt halten; nicht aber Du, die fähig ist, die Welt auch aus andern Standpunkten zu betrachten als aus dem Deinigen. Dadurch, daß ich mit Schönheit und Sitte, seit meiner frühsten Jugend an, in meinen Gedanken und Schreibereien unaufhörlichen Umgang gepflogen, bin ich so empfindlich geworden, daß mich die kleinsten Angriffe, denen das Gefühl jedes Menschen nach dem Lauf der Dinge hienieden ausgesetzt ist, doppelt und dreifach schmerzen. So versichre ich Dich, wollte ich doch lieber zehnmal den Tod erleiden, als noch einmal wieder erleben, was ich das letztemal in Frankfurt an der Mittagstafel zwischen meinen beiden Schwestern, besonders als die alte Wackern dazukam, empfunden habe; laß es Dir nur einmal gelegentlich von Ulriken erzählen. Ich habe meine Geschwister immer, zum Teil wegen ihrer gutgearteten Persönlichkeiten, zum Teil wegen der Freundschaft, die sie für mich hatten, von Herzen liebgehabt; sowenig ich davon gesprochen habe, so gewiß ist es, daß es einer meiner herzlichsten und innigsten Wünsche war, ihnen einmal, durch meine Arbeiten und Werke, recht viel Freude und Ehre zu machen. Nun ist es zwar wahr, es war in den letzten Zeiten, von mancher Seite her, gefährlich, sich mit mir einzulassen, und ich klage sie desto weniger an, sich von mir zurückgezogen zu haben, je mehr ich die Not des Ganzen bedenke, die zum Teil auch auf ihren Schultern ruhte; aber der Gedanke, das Verdienst, das ich doch zuletzt, es sei nun groß oder klein, habe, gar nicht anerkannt zu sehn, und mich von ihnen als ein ganz nichtsnutziges Glied der menschlichen Gesellschaft, das keiner Teilnahme mehr wert sei, betrachtet zu sehn, ist mir überaus schmerzhaft, wahrhaftig, es raubt mir nicht nur die Freuden, die ich von

der Zukunft hoffte, sondern es vergiftet mir auch die Ver-
gangenheit« (10. November 1811).

»...mein Leben, das allerqualvollste, das je ein Mensch
geführt hat...« (21. November 1811, alle an Marie von
Kleist).

»...die Wahrheit ist, daß mir auf Erden nicht zu helfen
war...« (21. November 1811 an Ulrike).

Die Tragödie Kleists entspringt dem schon angedeuteten
Widerspruch: Der Mensch lebt nur in notwendigen Beziehungen zu der Welt, in die er hineingestellt ist; lösen sich
diese auf, oder werden sie fragwürdig, so löst sich auch seine
Existenz auf. Die Beziehungen sind aber gestört, die lebens-
notwendige Vereinigung mit dem Du ist verwehrt. Bindung
an ein Anderes, ohne dessen Sein zu treffen, von diesem auf-
gefangen und getragen zu werden, führt zur Katastrophe,
ebenso wie die Preisgabe der Bindung. Kleist lebt in der
notwendigen, aber gestörten Beziehung, der Widerspruch ist
tödlich.

Sein Werk läßt sich in drei Gruppen einteilen, denen die
Lebensabschnitte von der Kant-Krise bis zum Zusammenbruch in Mainz, von diesem bis zum Zusammenbruch in Prag
und von diesem bis zum Tod entsprechen.

Die erste Gruppe umfaßt: *Familie Schroffenstein, Find-
ling, Verlobung in St. Domingo, Zerbrochner Krug* und *Robert Guiskard*. Irrtum, Mißtrauen und Mißverstehen – sie
sind der Ausdruck der Störung und führen die Katastrophe
herbei – werden zunächst selbst nicht begründet, besonders
deutlich *Schroffenstein* und *Verlobung*. Offenbar spürte
Kleist nach den Schroffensteinern die Notwendigkeit, Irrtum, Mißtrauen und Mißverstehen zu begründen; während
der Arbeit am *Guiskard* entstehen *Die Verlobung* und *Der
zerbrochne Krug*. In diesem – sein Thema ist die Spannung
zwischen Ruprecht und Eve – gelingt eine der einfachsten
und schönsten Begründungen der Weltliteratur, indem Adam,
selbst ein komisches Gegenstück zum Guiskard, die Lösung
durch eben dieselben Eigenschaften herbeiführt, durch die er
die Verwirrung gestiftet hatte. Diese Lösung ist aber ko-
misch, während Kleist die Aufgabe tragisch fühlte. Er arbeitet weiter am *Guiskard* und scheitert daran, dessen Tragik
eindeutig zu begründen.

Zur zweiten Gruppe gehören: *Amphitryon, Marquise von O., Penthesilea, Käthchen von Heilbronn, Kohlhaas* (bis au den Schluß) und *Hermannsschlacht*. (*Das Erdbeben in Chil* muß wohl noch in die erste, die *Heilige Cäcilie* wahrschein lich zur dritten Gruppe gerechnet werden.) Diese Dichtunger sind erfüllt vom Erlebnis des Ich. In Alkmene und der Mar quise steigt dieses strahlend auf. Doch rettet die Verherr lichung des sich unbedingt treuen Ich nicht, sondern zeig erst die ganze Tragik: Penthesilea ist bloßes Ich. Die Aus weglosigkeit ist, wie das Ziel, die Freiheit, eine innere; ih Zeichen ist die Ohnmacht. Mit *Penthesilea* findet Kleist, nu streng künstlerisch, seine Lösung, Penthesilea wird frei in Tod. Auch diese Tragödie ist, wenn man von vielem Er schreckendem absieht, das aus Kleists zu Gewaltsamkei drängender Persönlichkeit und Lage zu erklären ist, das abe durchaus nicht das Wesentliche in seiner Dichtung ausmacht angesichts der gestellten Aufgabe vollkommen. Das Bild vom Gewölbe – das übrigens bis ins Detail Kleists Stil, auch Sprachstil, bezeichnet – findet in ihr die klarste Entspre chung: das Gewölbe, das doch keine Stütze hat, steht, »weil alle Steine auf einmal einstürzen wollen –« (16. November 1800 an Wilhelmine). Der absolute Sturz, derart gefügt, daß trotz strengen zeitlichen Ablaufs die Zeit als Dimension auf gehoben ist und sich so der Raum für ein jenseitiges Gesche hen öffnet, für das Ich in einer Freiheit, die die Bindunger an das Wirkliche nicht auflöst, sondern bejahend vollendet – er ist Kleists Lösung. Die *Hermannsschlacht* erweitert sie au das Vaterland, das die metaphysische Gemeinschaft mehrerer ist, die unter dem gleichen Schicksal stehen, vor dem Tod eins sind.

Die letzte Gruppe bilden der *Prinz von Homburg, Der Zweikampf* und der Schluß des *Kohlhaas*. Jetzt ist als Lö sung gefunden: Freiheit im Du, durch die völlige Bejahung des Anderen, die so weit geht, daß sie den eigenen Tod ein schließt.

Nun müssen noch einige Worte zum *Prinzen von Hom burg* gesagt werden. Prinz Friedrich von Homburg, der zur Zeit der Schlacht bei Fehrbellin (1675) bereits ein gereifter Mann von 43 Jahren war und eher Kottwitz als dem Helden des Stückes geglichen haben mag, soll nach einer Legende

durch eigenmächtiges Überschreiten der Befehle den Ausgang dieser Schlacht und damit das Wohl des Staates aufs
Spiel gesetzt haben. Diese den historischen Tatsachen nicht
entsprechende Darstellung nahm Friedrich der Große in
seine 1751 erschienenen *Mémoires pour servir à l'histoire de
la maison de Brandebourg* auf. Kleist benutzte das Werk als
Quelle, gestaltete den Stoff aber mit großer dichterischer
Freiheit. Er äußerte 1810 in einem Briefe an Ulrike, das
Stück werde auf dem Privattheater des Prinzen Radziwill
aufgeführt und nachher auf der Nationalbühne gespielt werden. Die Aufführungen kamen nicht zustande, da »eine hochgestellte Person« (die Prinzessin Wilhelm, eine geborene
Hessen-Homburg) die Ehre ihres Hauses durch die Todesfurchtszene verletzt sah; auch im Juni 1811 eingeleitete Verhandlungen mit dem Verleger Reimer über die Drucklegung
führten zu keinem Erfolg. Erst 1821 erschien *Prinz Friedrich
von Homburg* in den von Ludwig Tieck herausgegebenen
Hinterlassenen Schriften des Dichters bei Reimer in der Berliner Realschulbuchhandlung.

Die Uraufführung des Stückes am 3. Oktober 1821 am
Burgtheater in Wien war ein Mißerfolg. Weitere Aufführungen: in Breslau, Graz, Frankfurt a. M., am 6. Dezember
1821 auf Tiecks Veranlassung in Dresden, 1822 in Hamburg
und Hannover. Im Königlichen Schauspielhaus Berlin wurde
das Stück nach drei Aufführungen vom König verboten.
Durch Kleists Werk ließen sich Heinrich Marschner (1795 bis
1861), Hugo Wolf (1860–1903) und Hans Werner Henze
(* 1926) zu musikalischer Gestaltung anregen.

Kleists Werke wurden gesammelt zuerst von Ludwig Tieck
1821 bei Reimer in Berlin herausgegeben. Kritische Ausgabe:
in sieben Bänden herausgegeben von E. Schmidt und G.
Minde-Pouet, Leipzig 1936–38. Ferner: Sämtliche Werke und
Briefe in zwei Bänden herausgegeben von Helmut Sembdner,
München 1952, ³1964. Kleists Lebensspuren, herausgegeben
von H. Sembdner, Bremen 1957.

Ernst von Reusner

Heinrich von Kleist

WERKE IN RECLAMS UNIVERSAL-BIBLIOTHEK

Philipp Reclam jun. Stuttgart